DOÑA INÉS
(HISTORIA DE AMOR)

COLECCIÓN FUNDADA POR
DON ANTONIO RODRÍGUEZ-MOÑINO

DIRECTOR
DON ALONSO ZAMORA VICENTE

AZORÍN

DOÑA INÉS
(HISTORIA DE AMOR)

Edición,
introducción y notas
de
ELENA CATENA

CUARTA EDICIÓN,
PUESTA AL DÍA

Madrid

Zurbano, 39 - 28010 Madrid - Tel.: 91 319 89 40 - Fax: 91 310 24 42
Página web: http://www.castalia.es

Realización de cubierta: Víctor Sanz

Impreso en España - Printed in Spain

I.S.B.N.: 84-7039-851-2
Depósito Legal: M. 44.433-1999

SUMARIO

A mi hija Elena
y a mis nietos Laura y Carlos

INTRODUCCIÓN

BIOGRÁFICA Y CRÍTICA

Cuando en 1925 *Azorín* publica su novela *Doña Inés,* el escritor era ya un hombre muy famoso en la vida literaria española. Había publicado más de cuarenta libros y cientos de artículos periodísticos; era miembro de la Real Academia Española desde el año anterior. Su nombre auténtico —José Martínez Ruiz— y sus pseudónimos literarios *(Ahrimán, Cándido y Azorín,* adoptado en 1904 y en el que persistiría hasta el final de sus días) no sólo evocaban el recuerdo de un extraordinario prosista, dotado de exquisita sensibilidad, también la imagen de un hombre que desde muy joven se había interesado por las cuestiones políticas del país, interviniendo en ellas, primero con ideología anarquista, más tarde, como miembro del partido conservador. Pero, sobre todo, lo que el nombre de *Azorín* sugería, en este año de 1925, era la nómina completa de la generación literaria más ilustre de la España de entonces: Azorín, Pío Baroja, Antonio Machado, Miguel de Unamuno y Ramón María del Valle-Inclán. Los cinco grandes de la Generación del 98.

Doña Inés era, por consiguiente, la obra de un escritor en la cumbre de toda su fortuna, social, literaria y política. Para muchos de sus críticos actuales, su canto de cisne.

Pero antes de referirnos a *Doña Inés,* intentaremos esbozar una pequeña biografía de su autor.

Difícil, siempre cuestionable, es el enjuiciamiento de la vida de un ser humano. Fechas, datos, circunstancias personales, incluso muy íntimas, no faltan nunca para redactar una biografía; no obstante, ensamblar todo ello con la pretensión de ofrecer la clave auténtica de una personalidad, es tarea que no puede afrontarse sin escrúpulos y graves reservas morales. En el caso de *Azorín,* las dificultades son realmente insoslayables: no poseemos testimonios escritos de un *Azorín* íntimo (cartas, memorias o escritos confidenciales), ni algo equivalente que provenga de sus familiares y amigos. Un *Azorín par lui-même,* a la manera como los franceses han publicado biografías de algunos de sus más ilustres escritores y artistas, es inimaginable, hoy por hoy, a falta de textos azorinianos confidenciales. Un extraño pudor fue velando, a través de los años, su personalidad más íntima, la de José Martínez Ruiz, hombre de carne y hueso, según la conocida expresión unamuniana. Lo que más preocupa a sus biógrafos actuales, es el enigma de su trayectoria política; la clave que descifre algunas actitudes y compromisos de su peripecia vital; el porqué un escritor que nace a la vida literaria y política agresivo e inconformista, se transforma en un momento determinado de su existencia, en intelectual absolutamente pasivo, desligado de cualquier acción o impulso que le comprometa con la sociedad y la época en que vive. La indagación es osada, aunque no impertinente. Todo intelectual o artista se erige, con más o menos gallardía o resolución, en maestro de los otros; en literatura, sobre todo, entre autor y lector, se establece una complicidad, en la que el autor, es el inductor, y el lector, el inducido. Y si esto es así, salvo excepciones y distingos, el lector —el inducido— tiene el derecho a exigir, a esperar, al menos, que se le rindan cuentas de una mutación ideológica, a veces, hasta de un cambio de estilo. La fama y el magisterio intelectual pagan tributos muy altos y con frecuencia dolorosos e incómodos.

Del hombre *Azorín*, conocemos su juventud; luego se encierra, poco a poco, en una especie de fanal a través del cual contempla el mundo; lo contempla, no lo juzga; a veces, ni siquiera parece interesarle más que como una imagen. La visualidad —asombrosamente aguda, eso sí— es el efecto sensible que más le atrae de cuanto el mundo ofrece. De las tres edades de su vida nos dejó un recuerdo convencional: de joven, robusto, extravagante y agresivo; de hombre maduro, corpulento, silencioso y cortés, pero sin efusión; de viejecito, enjuto, ajeno y monosilábico. Una juventud férvida y rebelde, una madurez aún inquieta y comprometida, pero ya proclive al conformismo, le conducen, finalmente, a una vejez alicaída, sumisa, casi indiferente a los humanos.

A través de su dilatada existencia, el silencioso caballero, el eterno contemplador, acogerá con agrado a cuantos se acerquen a él; será generoso con los jóvenes principiantes de las letras y cortés siempre con sus viejos amigos a quienes recordará en lo bueno que tuvieron, silenciando cuanto les fuera adverso. No hablará mucho, pero sabrá escuchar siempre. Extraño, entrañable, a veces inquietante ser humano, nuestro Maestro *Azorín*.

Mucho le debemos sus compatriotas. Nos enseñó el amor a los clásicos, descubriéndonos en su lectura posibilidades que parecían haber sido olvidadas: un texto de Cervantes, de Góngora, de Garcilaso o del humilde y precioso Romancero deben servirnos como piedra de toque para reconocer nuestra sensibilidad e inteligencia; lo que un clásico testimonió de su época, es válido para la nuestra, como experiencia y argumento de la condición humana. Si *Azorín* elige como tema de comentario el *Persiles* de Cervantes, se expresará así:

> Este tropel de los personajes del *Persiles* que anda —perdurablemente— peregrinando por mares desiertos e islas misteriosas, ¿qué se propone? ¿Cuál es su sino? Unos proceden de

Inglaterra, otros de Italia, otros de España. Todos marchan hacia lo desconocido. Cada uno conoce de los demás el nombre —tal vez supuesto— y algún detalle de su historia próxima.

Pero su conocimiento mutuo no se extiende más allá del tiempo que llevan navegando juntos. Todos desconocen sus vidas pasadas. ¿Qué trágico sino los ha reunido en esta nave que camina entre los hielos del Septentrión o en esta isla inhabitada en que esperan el crepúsculo de la larga noche hiperbórea? Nadie sabe *de dónde vienen ni do van. Perdiéndose aquí, anegándose allí, llorando acá, suspirando acullá,* dice uno de los personajes hablando de otro que camina en la caravana. Así entre angustias, suspiros y naufragios, caminan todos. ¡Qué sentido más trágico el de este libro! ¡Qué sentido más trágico para nuestra moderna sensibilidad !

Cervantes tiene una frase suprema hablando de estos personajes del *Persiles;* una frase henchida de melancolía, de fatalidad y de misterio, que nos hace soñar y nos llena de inquietud. *Todos deseaban, pero a ninguno se le cumplían sus deseos,* escribe el poeta. Un deseo siempre anheloso, un deseo errante por el mundo, un deseo insatisfecho, un deseo que siempre ha de ser deseo: eso es el libro de Cervantes.[1]

El pasaje elegido o las frases seleccionadas de un clásico, dan sentido a la totalidad de la obra; no importa que estemos de acuerdo o no con la interpretación azoriniana, lo valioso de la sugerencia es que nos estimula a encontrar otras significaciones que nos conformen a nosotros.

Otra enseñanza del Maestro Azorín fue su estilo de frases cortas, concretas y precisas; el amor a las palabras, el respeto a su propiedad y belleza. En fin, la noble estimación del recurso más genuinamente humano: la comunicación de nuestra visión del mundo y el cabal entendimiento de la expresión de otros.

[1] *Al margen de los clásicos.* Madrid, Publicaciones de la Residencia de Estudiantes, 1915, pp. 129-130.

Esta valiosa herencia azoriniana nos ha llegado en libros inolvidables. Su autor los fue forjando a través de una larga vida cuyos sucesos más salientes vamos a recordar.

VIDA Y FORTUNA DE UN ESCRITOR DEL 98: DON JOSÉ MARTÍNEZ RUIZ, *AZORÍN*

Nació don José Martínez Ruiz en Monóvar (Alicante), el 8 de junio de 1873. Fue hijo primogénito del matrimonio constituido por don Isidro Martínez Soriano y doña María Luisa Ruiz Maestre. El padre era abogado, propietario rural, alcalde del pueblo y liberal militante en el partido conservador; aficionado a la lectura y curioso de libros sobre costumbres de animales, afición que heredaría su hijo José al que debemos páginas admirables dignas de un tratado de entomología que hubiera sido escrito por un sabio, científico y literato a la par.[2] De su madre sabemos que fue una señora afable, silenciosa, pulcra y ordenada, de quien se conserva un diario en el cual relató minucias entrañables de su vida tranquila de ama de casa y madre amorosa (los primeros pantalones que estrena su hijo, el primer corte de pelo del muchacho...), diario del que se conocen extractos publicados por algunos de los biógrafos de *Azorín*. La vocación literaria de José fue estimulada por su madre cuya memoria estuvo presente en él toda su vida. A los ochenta y cinco años *Azorín* escribió en una cuartilla la muerte de quien le había dado la vida. Recuerdos azorinianos a la busca del tiempo perdido.

> La agonía de mi madre fue larga. Mi padre y mis hermanos atendían a la enferma solícitamente; yo cooperaba con ellos.

[2] Multitud de páginas dedicó *Azorin* a los insectos; véase, a modo de ejemplo, la descripción de tres arácnidos en *Antonio Azorín*, edición de Inman Fox, pp. 58-63. En *Doña Inés* hay una lindísima, casi una greguería, en la p. 118 de esta edición.

> Yo era el primogénito; cuando yo era niño mi madre me ceñía la cabeza todas las noches apretadamente, con un zorongo; no quería que las orejas se desmandaran. Mi madre murió del corazón, sentada en una butaca. No se daba ya cuenta de nada; no podía ya hablar. Sufría yo una tensión nerviosa altísima. Fue de madrugada, cercano ya el día, a la hora en que yo naciera, el expirar. Estaba yo en otra habitación, tendido e insomne. De pronto sentí un chasquido en la mejilla; sonaron en seguida unos golpecitos en la puerta y dijeron: "Ha muerto". Una amiga de la infancia, que había venido para estar junto a ella, quiso amortajarla; me entregó un papelito con un mechón y una horquilla. La muerte había puesto a mi madre —que estaba allí con las manos cruzadas sobre el pecho— marfileña. Fue mi madre bonita y elegante. Un gran terror tuvo en los últimos tiempos: la de ser enterrada viva, como estuvo a punto de serlo Santa Teresa. Mi hermano Ramón, médico expertísimo —muerto recientemente— tomó todas las precauciones para que tal espanto no ocurriera. *Requiem* para los dos. [3]

José, el mayor de los nueve hijos que tuvieron sus padres, estudió como alumno interno en el colegio de los padres escolapios de Yecla, pequeña ciudad no lejos de Monóvar. Ingresó en el colegio muy niño; los recuerdos de esta etapa de su vida fueron más bien tristes: la disciplina de los horarios, el silencio, la inmovilidad en las aulas y la falta de efusión cordial, fueron para él servidumbres muy penosas; años más tarde las recordaría sin encono, pero lamentándolas. Contrapartida de su infelicidad infantil, fue uno de sus profesores, el padre Lasalde, afectuoso y humanísimo, al que convirtió en uno de los protagonistas de su novela *La voluntad,* en 1902.

Terminado el bachillerato, inició los estudios universitarios en la Facultad de Derecho de Valencia, en 1888. La

[3] "La muerte de mi madre", en Jorge Campos, *Conversaciones con Azorín.* Madrid, Taurus, 1964, p. 171. Al final de la cuartilla original, anotó el propio *Azorín:* "11 diciembre 58. madrugada".

elección de carrera no fue acertada. Estudió Leyes porque eran los estudios que prometían porvenir más brillante a los jóvenes de la burguesía española por aquel entonces. Con el título de licenciado en Leyes podían llegar a ser jueces, fiscales, notarios y registradores de la propiedad, cargos prestigiosos y bien remunerados; si optaban por el libre ejercicio de la profesión, la manía pleiteadora de los españoles les aseguraba una buena clientela y, por último, la política les brindaba tentadoras perspectivas, si tenían genio y empuje para medrar en ella. No obstante, semejantes alicientes parece que no hicieron mella en el ánimo del joven Martínez Ruiz, quien resultó un pésimo estudiante. Ni consiguió aclimatarse a la disciplina del estudio regular, ni siquiera parece haberlo intentado seriamente. Pronto empezó a fracasar en los exámenes. Recurre entonces a medios irregulares para ver de salir adelante en sus estudios: cuando no consigue el aprobado en alguna asignatura, se traslada en el verano a otras universidades —Granada, en 1892; Salamanca, en 1896 y Valladolid más tarde— con la esperanza de obtenerlo de profesores más benévolos o laxos que los de su universidad valenciana. Pero aun con este picaresco recurso —muy común en los estudiantes de entonces— no alcanzará jamás el grado de licenciado en Leyes, puesto que "no consta que su carrera quedara terminada, tras catorce años de figurar en el papel como estudiante".[4]

Pero si no estudia las materias facultativas, se divierte: frecuenta tertulias y espectáculos, sobre todo el teatro y las corridas de toros a las que se aficiona. Le queda tiempo, sin embargo, para leer cuanto en sus manos cae, y aprende francés. En Valencia prosigue la actividad periodística que había iniciado tímidamente a los quince años

[4] José María Valverde, *Azorín*, Barcelona, Planeta, 1971, p. 23. El libro de Valverde es sumamente valioso para toda esta etapa de la vida de Martínez Ruiz y a él debo gran parte de los datos que utilizo.

de edad, según confesión propia, en los periódicos locales de Monóvar. En *El Mercantil* Valenciano se coloca como redactor de la sección teatral y allí estrena su primer pseudónimo: *Ahrimán,* el principio del mal en la mitología persa. Poco después colabora en el diario *El pueblo,* dirigido por el novelista Blasco Ibáñez, a la sazón popular republicano.

El periodismo le apasiona; le gusta el contacto diario con un público de lectores. La técnica *sui generis* del artículo periodístico —brevedad, concisión, estilo directo— le conviene, encuentra en ella el instrumento apropiado a su visión del mundo. Además, el artículo periodístico es, sin duda, el mejor ejercicio para "hacer pluma" y esa ocupación, ininterrumpida a través de los años, marcará una de las características más acusadas de nuestro autor: los libros constituidos por breves capítulos. José María Valverde lo recuerda a propósito de *Doña Inés:* "Todo lo que escriba *Azorín,* se desarrollará como sucesión de capítulos del tamaño —y organización— de un artículo de diario".[5]

Pero lo que marcará ostensiblemente sus años de estudiante —sin estudiar— y su actividad periodística en Valencia, será el entusiasmo por el anarquismo. La Europa finisecular asistió asombrada y expectante al resurgimiento del mito áureo de la ideología anarquista y el joven escritor, como muchos de sus contemporáneos, oirá sus cantos de sirena con satisfacción y esperanza. Así definía, en 1894, a Kropotkin, el famoso clásico de la literatura anarquista: "Creyente en el reinado de la justicia, en la realización aquí abajo de un paraíso de amor y fraternidad. Tiene fe en el progreso indefinido de la humanidad, fe en la revolución que ha de derribar las viejas instituciones y crear sobre sus ruinas una sociedad laboriosa y libre".[6]

[5] Valverde, *obr. cit.*

[6] Reseña de *La conquête du pain* de Kropotkin (que *Azorín* transcribe a la francesa, Kropotkine, como advierte Valverde), en *Bellas Artes* de Valencia, 17-XI-1894. Reimpreso en *Artículos olvidados de J. Martínez Ruiz,* edición de José María Valverde. Madrid, Narcea, 1972, pp. 73-76.

Falta saber, y varios estudiosos de esta faceta juvenil del futuro académico ya están en ello,[7] si fue en verdad un anarquista o sólo un ácrata teorizante, a pesar de los fervorosos artículos que dedicó a exaltar y difundir esa ideología. Una afirmación sí que puede hacerse: no militó en las filas anarquistas, aunque se sabe que los auténticos militantes lo leyeron con aprecio, convencidos de que era uno de los suyos.[8] Incursos en esa tendencia anarquizante están sus libros, en puridad folletos, *Buscapiés* (1894), *Anarquistas literarios* (1895), y las traducciones de A. Hamon, *De la patria* (publicada en la Biblioteca Ácrata) y *Las prisiones* de Kropotkin.

En Valencia se inicia asimismo su afición a la crítica literaria. En *El Mercantil Valenciano* publica, sobre todo, crónicas teatrales; el tono de muchas de ellas es agresivo e intemperante; el estilo, muy diferente y hasta contrario al que años después le haría famoso; un poco pedantón porque lee mucho y quiere ponerlo en evidencia. Con frecuencia desciende a extremos vulgares, como en un artículo en que para dar la medida de su entusiasmo por Galdós, remata su crítica con esta exclamación: "¡Qué tío!". Un devoto azoriniano de nuestros días no podría reconocer en muchos de aquellos artículos ni el más leve indicio de la prosa del autor de *Castilla* o de *Doña Inés.* Sin

[7] Blanco Aguinaga, *Juventud del 98,* Madrid, Siglo XXI, 1970; E. Inman Fox, "José Martínez Ruiz (Sobre el anarquismo del futuro *Azorín)"*, *Revista de Occidente,* 36 (1966), pp. 157-174; Mercedes Vilanova, *La conformidad con el destino en Azorín,* Barcelona, Ariel, 1971, especialmente las pp. 52-60, donde resume cuanto se ha escrito sobre la cuestión, añadiendo aportaciones personales muy finas y certeras; Eugenio de Nora, *La novela española contemporánea,* Madrid, Gredos, 1958, I; Pérez de la Dehesa, "*Azorín* y Pi y Margall. Olvidados escritos de Azorín en *La Federación* de Alicante 1897-1900", *Revista de Occidente,* 1969; Joan Fuster, "Memória de Josep Martínez Ruiz", *Serra d'Or,* IV (1967).

[8] Algunos de sus artículos se convirtieron en clásicos de la literatura anarquista, como "La nochebuena del obrero" (1896), "Crónica" (1897) y "El Cristo nuevo" (1898), reimpresos en *Artículos olvidados...,* edición de José María Valverde, ya citada.

embargo, en algo de lo publicado en Valencia se atisban rasgos de un estilo más noble, tímido precursor del futuro *Azorín*.[9]

En 1896, José Martínez Ruiz, con veintitrés años de edad, abandona Valencia y se traslada a Madrid.[10]

¿Para estudiar en su Universidad y dar fin a una carrera insoportable? ¿Para abrirse camino en el mundo del periodismo, de la literatura, tal vez de la política? Es probable que sus designios abarcaran todas estas interrogantes. Muchos años después, en plena senectud, evocará en *Madrid* (1941) las primeras impresiones y experiencias que le deparó la capital de España. En aquel libro, los recuerdos del pasado se transcriben tamizados e idealizados por el paso del tiempo, acaso también por un deliberado propósito de olvidar lo ingrato para él y para los otros. De cualquier modo, *Azorín* no fue jamás hombre de memorias íntimas: la elusión, la alusión y el tacitismo, tríada fundamental en sus procedimientos estilísticos, las ejercitó asimismo en todo cuanto rozara su biografía más íntima. Queda al descubierto, no obstante, y siempre, su vocación de escritor. Por ello, merece los honores de cita esta descripción de su primer paseo por Madrid, donde se advierte que la incitación más poderosa le venía del mundo literario:

> Gente que entra y sale en el teatro Apolo. [...] Blancos globos de luz alumbraban el pórtico. Entre la gente, me detengo curioso. Y de pronto, observo algo que me interesa profundamente. Cuatro o seis caballeros forman un grupo. Tiene uno de ellos unas blancas cuartillas en la mano y va leyendo algo, prosa o verso, que los demás escuchan atentos. A obra

[9] Véase el artículo "Medalla antigua", publicado por primera vez en *El Mercantil Valenciano*, 24-IV-1894, con el pseudónimo de *Ahrimán;* reeditado por J. M.ª Valverde en *Artículos olvidados*, cit. *supra*.

[10] En *Madrid* (1941), trascordado por la edad, da la fecha de 1895: "Vine a Madrid en el otoño de 1895". Reitera el error páginas después: "De Unamuno tuve varias cartas, antes de venir yo a Madrid, que fue en 1895".

> de unos pocos pasos, se halla el espectador —espectador que acaba de llegar de provincias— y ante él, inesperadamente, como azar dicho, están vivos y auténticos, en su propio elemento, los personajes del drama. Del drama o de la comedia. El espectador no sabe lo que será. No se puede saber lo que será la vida de un muchacho que comienza a escribir; si drama o comedia. Pero él siente ansia irreprimible por ser uno de los actores de la comedia o del drama. [...] Andando el tiempo puedo ser uno de ellos, y ahora desconocido, sin valimientos, sólo tengo mi cuartito con el pobre menaje y con la ventana en el techo, que deja caer la luz en las cuartillas. [11]

El joven provinciano encuentra trabajo enseguida. No tan desprovisto de valimientos como afirmaría en su vejez, trae cartas de recomendación con las que obtiene un puesto en la redacción de *El País.* Y allí se da a conocer en la prensa madrileña con agresividad y osadía asombrosas: redacta artículos anticlericales, a favor del amor libre y la independencia de la mujer; contra la institución del matrimonio y la propiedad privada. Su proclividad hacia el anarquismo la pone una vez más de manifiesto en la denodada defensa que hace a favor de los presos del castillo de Montjuich, asunto muy controvertido entonces por la prensa y opinión contemporáneas. La publicación de estos artículos sería posible gracias a que el joven Martínez Ruiz escribe en *El País,* diario republicano progresista, muy generosamente abierto a cualquier idea que rompiera el conformismo de los políticos de la Regencia. Pero transcurrido un año, el subversivo y fogoso periodista es expulsado de la redacción del periódico (1897): aquello que él escribe es superior a todo lo que pueden soportar los responsables del diario y acaso también sus lectores.[12]

[11] *Madrid,* Madrid, Biblioteca Nueva,1941, pp.13-14.

[12] Director de *El País* fue Alejandro Lerroux, quien más tarde, como se verá, fundó *El Progreso* adonde llamó de nuevo a J. Martínez Ruiz. *El País* pertenecía a don Antonio Catena Mentidoure, catedratico de Instituto,

Despedido de *El País,* sin trabajo y sin dinero, José Martínez Ruiz pasa unos meses de tal penuria que, según confesión propia, llegó a desmayarse de pura inanición en plena vía pública. Pero más que esta extrema pobreza, acaso exagerada por él cuando la menciona, le dolería el despego con que fue tratado por sus antiguos colegas de *El País,* y por muchos otros más del mundillo literario madrileño. Y no olvidemos tampoco la cruel sentencia del refrán español: "Del árbol caído, todos hacen leña". Pero tiene veinticuatro años, es de complexión recia y puede soportar el ayuno —asegurará que durante muchos días se mantuvo a pan y agua—; en la mísera pensión en que vive, desfoga su rencor contra periodistas y escritores conocidos en el año de su estancia en Madrid, escribiendo una especie de diario que publica unos meses más tarde con el título de *Charivari* (1897).[13] Allí juzga con enconado desdén a sus colegas de redacción en *El País,* sin omitir nombres y apellidos; de igual modo trata a otros amigos literatos, y no excluye de su panfleto —pues tal nombre merece *Charivari*— a las viejas glorias del Parnaso contemporáneo. Se produce una furiosa reacción entre los aludidos. El panfletario tiene que abandonar Madrid para evitar el enfrentamiento físico con los agraviados. Marcha a Córdoba, donde un buen amigo le brinda generosa hospitalidad; de allí, pasados unos días, se traslada a Monóvar. Entre los suyos, aprovecha el tiempo para leer, y es muy probable que la apacibilidad del hogar le sugiera temas de libros que le harán famoso en los años siguientes: obras en que la personalidad de los protagonistas será trasunto de la suya pro-

---

quien en 1901 cedió la propiedad del diario a los redactores del mismo. *El País* fue el órgano del Partido Republicano Progresista de Ruiz Zorrilla, en él conoció *Azorín* a Baroja y a Maeztu. Véase cuanto del periódico dice Rafael Pérez de la Dehesa en *El grupo* Germinal: *una clave del 98,* Madrid, Cuadernos Taurus, 1970, pp. 41-47.

[13] *Charivari*, palabra francesa que significa "cencerrada".

pia: me refiero a *La Voluntad* (1902), *Antonio Azorín* (1903) y *Las confesiones de un pequeño filósofo* (1904), de que se dirá algo más adelante, en esta *Introducción.*

Estando en Monóvar, recibe carta del político republicano don Alejandro Lerroux, invitándole a colaborar en *El Progreso,* periódico de reciente fundación. Acepta el ofrecimiento y regresa a Madrid con renovadas ilusiones.

El Progreso, dirigido por Lerroux, propugnaba un ideario republicano federal alentado por don Francisco Pi y Margall, ex segundo Presidente de la República Española del año 73. El viejo Pi y Margall daba un tono de buenas maneras y cierto puritanismo moral a sus correligionarios, aunque sin excluir, cuando las circunstancias lo requerían, firmeza y combatividad en la defensa de sus convicciones políticas y morales. *Azorín* admiró siempre a aquel viejo maestro, santón laico de una generación casi extinta a finales de siglo, y es muy probable que por ello atemperara su agresividad, dándole nuevos rumbos. En *El Progreso,* su actitud crítica se dirige hacia el mundo obrero y campesino, plagado de miserias sin cuento en aquellos tristes años finiseculares. Apasionado lector, curioso de novedades literarias, rechaza con indignación una estética incipiente: el Modernismo, que nos llega de allende las fronteras. En 1898, publica en *El Progreso* esta sarcástica *Nota del día,* que tomo del libro *Azorín* de José María Valverde:

> Gobernador de Cádiz a ministro de la Gobernación: "Situación de la clase obrera gravísima. En Algeciras celebrada imponente reunión de jornaleros para pedir trabajo. En Sanlúcar temo nuevos disturbios. El hambre es espantosa. ¿Qué hago?"
>
> Ministro de la Gobernación a gobernador de Cádiz: "Lea V.E. a esos obreros hambrientos una novela de D'Anunzio y varias poesías de Verlaine. Si persisten en su manía de pedir pan, deles V.E. unas conferencias sobre estética transcendental...".

La feroz ironía de esta *Nota* explica muy bien la actitud de su autor: intolerable frivolidad, inmoralidad gravísima, que la literatura se regodee en creaciones meramente estéticas, cuando la realidad dura e insufrible, exige medidas prácticas y eficientes que remedien sus males.

Durante el año 1898, que dará nombre a su generación, apenas si escribe algún que otro artículo. Mientras muchos de sus compañeros de promoción piden responsabilidades por la derrota o propugnan su olvido convocando al país para nuevos proyectos de vida, Martínez Ruiz da tregua a sus colaboraciones periodísticas. La lectura vuelve a ser su refugio, lejos del mundanal ruido: clásicos españoles, novedades editoriales extranjeras, sobre todo francesas, y curiosos librillos que no constan en las grandes historias literarias, pero que son cerros testigos del pasado, necesarios para recrear la historia interna —la *intrahistoria,* según feliz expresión de Unamuno— de su patria española. Estos librillos, de que tan abundante referencia hay en las obras de J. Martínez Ruiz, y posteriormente en las que publica con el pseudónimo de *Azorín,* son Guías de Forasteros, Memorias, folletos extravagantes de inventores, arbitristas y eruditos, manuales de oficios y relatos de costumbres y algún que otro vademecum de botánica. La historia del pasado le atrae irresistiblemente, pero no como le ha sido enseñada —narración encomiástica o denigratoria de momentos estelares, biografías de primeros actores, reyes, héroes, guerreros— sino como un panorama total que en cada uno de sus momentos abarque la sociedad, la economía, la vida diaria de sus anónimos protagonistas. Con esta convicción escribe *Los hidalgos (La vida en el siglo XVII),* publicada en 1899, y reeditada en 1900 con el título de *El alma castellana (1600-1800).*

El alma castellana contiene dos sorprendentes novedades, para su tiempo: la primera, es su estilo de frases cortas, abarcables de una ojeada, lo que impide la enajenación en la lectura; el lector, frenado por frecuentes puntos ortográficos, se ve obligado a tomar conciencia responsable de cuanto se le dice. La brevedad de los capítulos que constituyen el libro, coadyuva a establecer en las treguas un distanciamiento muy propicio entre texto y lector. Esta primera novedad suscitará una generación de lectores a los que interesará por igual lo que se dice, cómo se dice y por qué se dice. La segunda novedad ofrecida en *El alma castellana* es la presentación de un pasado en su intimidad, entendiendo por ella la trama y la urdimbre de la vida histórica de un pueblo, no su tapiz lujoso y espectacular. Con esa intención, se describe la vida en los conventos, los usos amorosos en el pasado, el teatro —los espectadores, los cómicos en su vivir cotidiano, fuera de la gloria escénica— los quehaceres femeninos, la casa, las modas, los oficios artesanales... Pertrechado de seria documentación, Martínez Ruiz, habla de las monedas y su continua devaluación, insertando datos estadísticos y mencionando fechas... Los lectores de *El alma castellana* debieron de sentir hondas perplejidades: acostumbrados a la retórica triunfalista de los libros históricos entonces al uso, la nueva interpretación —y el novísimo estilo— no sólo les forzaría a abandonar la vía rutinaria, de igual modo les impulsaría a la meditación de un pasado cuyos errores, impostados en el cuerpo de la nación, estaban pagando muy caros, en aquel año de 1900.

El siglo XX comenzó con excelentes esperanzas para José Martínez Ruiz: Tenía ya un nombre en literatura, si bien modesto aún y un tanto inquietante y sospechoso en sectores tradicionales; contaba con excelentes amistades entre sus compañeros de generación y estaba en ese momento crucial por el que todo escritor pasa: se esperaba de él mucho; lo que había producido era sólo la esperanza, el indicio, de una gran obra.

Lo que caracteriza a la España de comienzos de siglo es su febril, casi frenética actividad política. El año 1901 es el último de la regencia de la reina María Cristina de Habsburgo.

Los dos partidos políticos que la sustentaron, el liberal y el conservador, se enfrentaban entonces, adoptando posiciones radicales y contrarias, ante los problemas económicos y sociales y, lo que era más grave, se iban disgregando en facciones parlamentarias. El hambre, el analfabetismo y la ignorancia constituían la tónica general en el pueblo trabajador del campo y de las ciudades; en la Universidad, las cátedras se convertían en tribunas públicas; las huelgas proliferaban y eran más tenaces en la consecución de sus fines, respaldadas por las nacientes organizaciones obreras. En general se tenía el convencimiento de que el país había llegado a una bancarrota absoluta.

La tensión política hallaba salida en los acontecimientos más normales en apariencia: el estreno de *Electra,* una obra teatral de don Benito Pérez Galdós, sirvió para exteriorizar con violencia los malestares políticos y sociales.[14] La noche del estreno, 30 de enero de 1901, el pleno de la intelectualidad —literatos, artistas y científicos— se dio cita en el Teatro Español de Madrid. Al día siguiente los periódicos publicaban vibrantes reseñas sobre la obra estrenada. J. Martínez Ruiz, no olvidemos que aún no era *Azorín,* escribe para *El País,* de donde había sido redactor, una breve "Instantánea" cuyo párrafo final dice: "Saludemos la nueva religión. Galdós es su profeta: el estruendo de los talleres, su himno; las llamaradas de las forjas, sus luminarias". Días más tarde, rectifica publicando un artículo en *Madrid Cómico* (9-II-1901): "Desconsuela el ruidoso y triunfador éxito de *Electra...",* con todo lo que sigue, afirmando que la obra no merecía tanto ruido. Ramiro de Maeztu se indigna por la inconsecuencia de su colega y poco falta para que los dos escritores ventilen sus contrarios pareceres en el campo del honor, es decir, a ti-

[14] Cf. Elena Catena, "Circunstancias temporales de la *Electra* de Galdós", *Estudios escénicos,* Número Homenaje a Galdós, Instituto del Teatro de Barcelona. N.° 18, Sep. 1974, pp. 79-112.

ros; que así de fogosamente se tomaban las cuestiones políticas y literarias los hombres de aquel tiempo. [15]

En este clima tenso, cargado de irritabilidad e indecisión a causa de lo que entonces se denominará "la cuestión social", no es de extrañar que la joven promoción de escritores sintiera obsesivamente el tema de España. Amor amargo, ha denominado felizmente el profesor Laín Entralgo a esta preocupación que manifiestan los literatos del 98 por su patria. Amargo porque está infestado de crítica dolorosa. Tal vez sea esta generación la única en la historia española que se encare tan resolutamente con las imperfecciones, carencias y errores de su patria. Más que amarla, parece que la odian, con tal furor e intemperancia la denostan en sus obras primerizas. Pero el dolor —el amor amargo— es tan evidente que no cabe duda sobre su verdadero sentimiento. Esa repulsión y atracción por el sujeto España es la perenne ambivalencia de lo sagrado [16] y mucho de sacral tiene su culto a España. Tal vez por esa razón, incidirán en el tema de la *España soñada* de que tan bellamente ha escrito también el biógrafo de su generación.[17] Pero antes de caer en ensoñaciones, que muchos de sus nietos actuales les reprocharán, descargan el pesado fardo de sus críticas y el testimonio de su desconcierto. A este momento primerizo, pero ya muy maduro estilísticamente, se pueden adscribir las tres obras que J. Martínez Ruiz publica sucesivamente, una por año, desde 1902 en que sale a la luz pública *La Voluntad.*

[15] E. Inman Fox, "Galdós' *Electra:* A Detailed Study of its Historical Significance and the Polemic between Martínez Ruiz and Maeztu", *Anales galdosianos,* I(1966), pp. 131-141. Cf. Elena Catena, edición e introducción de *Electra* de Pérez Galdós, en la colección *Arriba el telón,* Madrid, Biblioteca Nueva, 1998.

[16] Cf. Ángel Álvarez de Miranda, *La metáfora y el mito,* Madrid, Cuadernos Taurus, 1963.

[17] Pedro Laín Entralgo, *La generación del 98,* en la colección Austral de Espasa-Calpe. Primera edición 1947. Última edición ampliada en colección Austral, 1997.

La Voluntad está considerada hoy como uno de los momentos estelares de la carrera literaria de nuestro escritor. En 1903, aparece *Antonio Azorín* y en 1904, las *Confesiones de un pequeño filósofo.*[18] Los protagonistas de las tres obras se llaman Azorín, y ese ente de ficción se muestra como el portavoz del estado de conciencia de su creador; aunque literalmente no sea él, muchas de sus páginas pueden aceptarse como biográficas, sin mayores escrúpulos. La crítica desplegada en estas obras, y en otras muchas de los hombres del 98, es a manera de una toma de conciencia de un momento histórico —la España de principios de siglo, caótica, miserable y desesperanzada— de una sensibilidad —evidenciada en el estilo antirretórico, sobre todo— y de una crisis personal y de época. El conjunto se manifiesta abruptamente, sin mucha coherencia, pero con la suficiente para que el lector advierta la conflictividad perpleja en que están inmersos. La honradez e integridad con que expresan sus conflictos y perplejidades es una gran lección moral para los jóvenes lectores del presente que accedan a estas obras.

Azorín, nombre de uno de sus complementarios, como llamaría don Antonio Machado a las apócrifas personalidades de un escritor que se desdobla en entes imaginarios, debió de complacerle, no tanto por ser criatura suya, como porque era él, en cierto modo. El nombre era sonoro y diminutivo de una noble ave, el azor; era apellido de tierra levantina, la suya; en fin, sonido, origen y procedencia se aunaban para justificar la adopción definitiva. En 1904 el diario *España* encarga a nuestro autor una sección de *Impresiones parlamentarias.* A partir de ese año J. Martínez Ruiz se esfuma, como escritor, para dar paso a *Azorín,*

[18] E. Inman Fox ha realizado dos excelentes ediciones con amplio prólogo y numerosas anotaciones de *La Voluntad,* Madrid, Clásicos Castalia, 5ª ed., 1989 y *Antonio Azorín* , Madrid, Clásicos Castalia, edición revisada y puesta al día, 1992.

pseudónimo que adopta para firmar esas *Impresiones* del Parlamento. Nunca más volverá a firmar con su auténtico nombre.

Azorín (1904-1967)

Las citadas *Impresiones parlamentarias* abrirán al escritor las puertas del Congreso; allí en la tribuna de la prensa observa, aparentemente impávido, los movidos debates políticos; luego escribe sobre lo que ha visto. Lo hará a su manera, que es insólita: hablará poco de política y mucho de políticos, cuyos gestos, actitudes y tics característicos describe con ironía no siempre benévola. Por ello, se gana consideración de humorista. Al principio, nadie entiende muy bien por qué dedica toda una crónica a detallar los movimientos de un orador, sin notificar las palabras que los acompañan. Pero si no se alcanzan muy bien, o nada, sus intenciones, el nuevo estilo cronístico llama la atención, y muchos agradecen la original técnica, de cine mudo, diríamos hoy. Ya se encargan otras secciones del periódico de transcribir la letra; *Azorín* toma a su cargo la imagen, no objetiva, ciertamente. Cuando se cuadra el texto del discurso con la imagen literaria del orador, se comprenden muchas cosas más.

En el año 1905, España celebra el tercer centenario de su obra literaria más famosa: *El Ingenioso hidalgo Don Quijote de la Mancha.* El joven rey Alfonso XIII, en real decreto del dos de enero de 1904, había fijado el mes de mayo de 1905 para que fuese celebrada tan fausta efeméride. La fecha será también memorable en la biografía de *Azorín:* recién incorporado a la redacción de *El Imparcial,* su director, don José Ortega y Munilla, deseoso de contribuir al centenario cervantino, le envía por tierras de la Mancha con la misión de realizar un reportaje sobre la patria chica de Don Quijote. Siempre desconcertante, y original, en lides periodísticas, *Azorín* remite al periódico unas crónicas en las que habla de los hombres y mujeres que poblaban los pueblos manchegos en 1905. Y cuando en ellas surgía el nombre de Cervantes, *Azorín* lo recordaba como un ser aún vivo y exconvecino de los lugareños: "En todas partes del planeta el autor del *Quijote* es Miguel de Cervantes Saavedra, en El Toboso es sencillamente *Miguel.* Todos le tratan con suma cordialidad; todos se hacen la ilusión de que han conocido a la familia". En cuanto a Don Quijote, el audaz periodista lo utiliza como contraste de su contemporánea realidad, fea e hiriente. Visita en compañía de un guía la cueva de Montesinos, y allí se le ocurre esta meditación:

> El buen caballero había visto dentro de ella prados amenos y palacios maravillosos. Hoy Don Quijote redivivo no bajaría a esta cueva; bajaría a otras mansiones subterráneas más hondas y temibles. Y en ellas, ante lo que allí viera, tal vez sentiría la sorpresa, el espanto y la indignación que sintió en la noche de los batanes, o en la aventura de los molinos, o ante los felones mercaderes que ponían en tela de juicio la realidad de su princesa. Porque el gran idealista no vería negada a Dulcinea; pero vería negada la eterna justicia y el eterno amor de los hombres.[19]

Cuando regrese a Madrid, se enterará de que sus crónicas no han caído muy bien. En la Redaccion de *El Imparcial,* se burlan de su prosa menuda, detallista, sin altisonancias; de algunos de los tranquillos que usa, sobre todo el abusivo empleo de nombres propios:

> ¿Cómo se llaman estos buenos, estos queridos, estos afables, estos discretísimos amigos de Criptana? ¿No son don Pedro, D. Victoriano, D. Bernardo, D. Antonio, D. Jerónimo, D. Francisco, D. León, D. Luis, D. Domingo, D. Santia-

[19] *La ruta de Don Quijote*, Madrid, Cátedra, edic. de José Mª Martínez Cachero, tercera edición.

go, D. Felipe, D. Ángel, D. Enrique, D. Miguel, D. Gregorio y D. José? [20]

Uno de sus críticos más conocidos, Don Julio Casares, apostillará con sorna: "¿No queda ya nadie en Criptana? ¿Y D. Nicanor? ¿Y D. Jenaro? Si lo que se busca es dar vida real a estos personajes, ¿por qué no citar ya, puestos a concretar, apellidos, edad, profesión, número de la cédula, etc., etc.?". [21]

No parece que le impresionaran mucho tales críticas; meses después reunirá toda la serie y la publicará en un tomito: *La ruta de Don Quijote.* Con él entra en la ingente bibliografía cervantina.

Otra nueva misión le es encomendada por el director de *El Imparcial:* En los campos de Andalucía reina un hambre atroz; las ciudades y los pueblos son invadidos por campesinos extenuados que piden ayuda a su indigencia. *Azorín* debe trasladarse a esos lugares —campos, ciudades y pueblos— para informar verazmente de cuanto allí ocurre. Y allí va. La estancia en Andalucía será para él esa bajada a los infiernos que todo artista —que todo hombre— debiera realizar alguna vez en su vida, para tomar conciencia del horror humano, para sentir, no sólo la simpatía por los otros, sino, y sobre todo, la empatía. *Azorín* asentirá horrorizado a las quejas de aquellos campesinos famélicos. Informará a sus lectores madrileños de la situación real, sin paliativos, del campo andaluz. Las crónicas pueden servir aun hoy de ejemplo como reportaje periodístico directo, sobre el propio terreno donde tienen lugar los sucesos. En la crónica titulada "Los obreros de Lebrija" entrevista a varios de ellos. Uno ha declarado que gana diariamente "tres reales y una telera [pan bazo, es decir, de salvado] de pan". *Azorín,* entonces, realiza un

[20] *La ruta de Don Quijote.*, ed. cit., p. 99.

[21] Julio Casares, *Crítica profana,* Madrid, 1916. Edición moderna en Col. Austral, n.° 469, p. 115.

interrogatorio conducente a saber cuál sería el jornal mínimo que precisan para vivir, aunque sea muy parcamente. El resultado de la indagación lo resume el periodista así:

> Pedro, Juan, Pepe Luis, Manuel, Ginés, Antonio —les digo a mis amigos—; las cuentas que acabamos de echar no pueden ser tachadas de escandalosas; están calculados todos los gastos con bastante modestia. Y bien: si ustedes ganan 3 reales de jornal y necesitan, tirando por lo bajo, 9 reales y 24 céntimos, ¿qué hemos de hacer? ¿Cómo vamos a resolver este conflicto? ¿Qué ideas son las de ustedes? Yo agradecería que ustedes me hablaran con entera confianza, como a un compañero. [22]

Y hablaron: contaron su injusta situación de temporeros en endémico paro, el hambre que padecían y dieron soluciones: la reforma agraria, la más justa distribución de las tierras y las propiedades de los ricos terratenientes andaluces; la creación de cajas y bancos que fomenten y faciliten el crédito agrícola. Los campesinos se lamentan de que cuando piden todo esto colectivamente, el gobierno les envía por toda respuesta a la guardia civil.

Una vez más, al regresar a Madrid, *Azorín* recibe de su periódico la comunicación del despido. Como hizo con las crónicas de la ruta de Don Quijote, reúne los artículos sobre el hambre y la injusticia para publicarlas años más tarde con el título de *La Andalucía trágica.*

Antes de finalizar el año (1905), *Azorín* hará una selección de los trabajos publicados en el diario *España,* con los cuales sacará a la luz pública otro libro: *Los pueblos*

[22] *Los Pueblos,* Madrid, Caro Raggio, 1919, pp. 219-220 (en esta edición de *Los Pueblos,* figuran todos los artículos de *La Andalucía trágica).* En 1973 Clásicos Castalia publicó *Los Pueblos. La Andalucía trágica y otros artículos (1904-1905),* edición, introducción y notas de José María Valverde.

(Ensayos sobre la vida provinciana),[23] en cuya tercera edición incluye *La Andalucía trágica* (1914).

Al cesar en *El Imparcial,* nuestro ya famoso periodista ingresa en la redacción de *ABC,* que inaugura su etapa de periódico diario —antes había sido revista semanal—. En *ABC* será redactor y colaborador durante el resto de su vida, con raras temporadas de abstención. Su fundador y director, don Torcuato Luca de Tena, le nombra corresponsal extraordinario en el primer viaje que hizo a París y Londres don Alfonso XIII; el llamado "viaje a vistas", en busca de esposa para el joven rey, quien la encontraría en la persona de doña Victoria Eugenia de Battemberg, nieta de la reina Victoria de Inglaterra. El tema de las crónicas encomendadas a *Azorín* era, como es de presumir, cortesano, tácitamente galante y un tanto turístico. De todo ello había de informar discretamente —el protagonista era el Rey— a los españoles. *Azorín* saldrá airosamente de la empresa: Las crónicas no serán cortesanas, aunque sí corteses; aludirá con tacto exquisito al objeto principal del viaje y se permitirá, en alguna ocasión, la osadía de ciertas insinuaciones que debieron hacer las delicias de cuantos se interesaban por aquel *affaire de coeur et d'état.* En la Embajada de España en Londres tiene lugar una magna recepción; se oye la Marcha Real, hace su entrada el Rey:

> Al penetrar en la sala se ha detenido un momento ante un viejecito encorvado. Ha hablado con él sonriente. Era el insigne español Manuel García.

[23] Para todo cuanto se refiera a *Los Pueblos* y *La Andalucía trágica* véase la edición de José María Valverde *(Los Pueblos. La Andalucía trágica y otros artículos (1904-1905).* Clásicos Castalia, nº 59). En su *Introducción* el profesor Valverde asegura que "Si *La Voluntad* fue la mejor obra de J. Martínez *Ruiz, Los Pueblos* es la mejor obra de Azorín", y reitera "*Los Pueblos* [la edición que incluye *La Andalucia trágica*] es uno de los mejores libros escritos en español".

> Luego, ha pasado, repasado por el salón. Yo he visto entre los invitados a doña Sol Stuard. La duquesita de Alba me ha parecido, viendo como ella miraba al rey ir y venir, que una leve, que una suave tristeza aparecía en su rostro.
>
> Entonces he recordado la convicción tremenda con que se dice aquí que nuestro rey se casará con una princesa sajona.
>
> He pensado que esta inefable melancolía de esta lindísima, de esta encantadora española, era la nota más saliente del día.[24]

Concluido el año de 1905, *Azorín* pudo hacer un buen balance del trabajo realizado: tres reportajes excepcionales y cada uno diferente en el tema —y por supuesto en el estilo— aunque marcados por la impronta, ya inconfundible, de su autor: *La ruta de Don Quijote,* de inspiración literaria; *La Andalucía trágica,* de intención social y la serie dedicada al viaje real, crónica de sociedad, de alta sociedad, se entiende.

Entre tanto, se ha ido gestando en *Azorín* un lento cambio ideológico: lejos queda ya su etapa juvenil adscrita al anarquismo; aunque aún alientan en él rebeldías y desazones ante la injusticia, va entrando en la zona, inquietante para un intelectual, del desánimo proclive al conformismo. Sus compañeros de generación lo intuyen, algunos se lo advierten: don Antonio Machado, en verso y con elegancia suma; Unamuno, con cierta irritación.[25] *Azorín* de-

[24] Al viaje regio consagró *Azorín* once crónicas, publicadas en *ABC.* El fragmento reproducido corresponde a la del 7 de junio de 1905. Ha sido incluída en el libro de Fernando Díaz-Plaja, *La Historia de España en sus documentos,* II. Esplugas de Llobregat (Barcelona), Ediciones G.P., 1971, pp. 8-10.

[25] Cf. J. Mª Valverde, *Obr. cit.,* pp. 282-283 y 302-304 (lo referente a Unamuno). Tres composiciones poéticas dedicó Antonio Machado a *Azorín:* "Al libro *Castilla* del maestro *Azorín,* con motivos del mismo" (es aquí donde lo define ideológicamente: *¡Admirable Azorín, el reaccionario / por asco de la greña jacobina!);* "Al maestro *Azorín* por su libro *Castilla" (La venta de Cidones está en la carretera / que va de Soria a Burgos. Leonarda, la ventera,* con todo lo que sigue, que es una preciosa evoca-

cide intervenir entonces en la vida política del país; si antes lo ha hecho individualmente, ahora lo hará como representante de una colectividad. En 1907 comienza su profesionalidad en política, entrando en el Congreso como diputado del partido conservador. En la nueva vía, serán sus patronos Maura y La Cierva. Como maurista obtendrá su primera acta de diputado por Purchena (Almería), en 1907.

Un año más tarde se casa, en la iglesia madrileña de San José, con doña Julia Guinda Urzanqui, natural del pueblo aragonés de Sos, patria del rey don Fernando el Católico. Encantadora mujer dicen cuantos la conocieron, añadiendo siempre a los elogios pertinentes la expresión, tan espontánea de "simpatiquísima señora". *Azorín* retratará literariamente a su esposa en *El licenciado Vidriera.*[26] En dicha obra, encubriendo la personalidad real de doña Julia, describe así el personaje de Gabriela:

> ...Tiene un rostro en óvalo, marfileño, expresivo y apasionado. [...] La característica más saliente de Gabriela es ésta: la vida es siempre nueva para ella. [...] La adversidad, el rencor humano, no dejan en su espíritu huella de melancolía y de odio. Cuando su cabeza esté blanca, su corazón estará como el primer día.[27]

---

ción machadiana digna de parangonarse, como tema de comentario de textos, con el capítulo "Ventas, posadas y fondas" de *Castilla,* de *Azorín).* La tercera composición machadiana ofrecida a nuestro autor, se titula *Azorín* (Cf. Antonio Machado, *Nuevas canciones* y *De un Cancionero apócrifo,* Ed. de José María Valverde en Clásicos Castalia, p. 163, donde se le describe así: *¿Cúya es la doble faz, candor y hastío, / y la trémula voz y el gesto llano, / y esa noble apariencia de hombre frío / que corrige la fiebre de la mano?)*

[26] Según Cruz Rueda, *Azorín* retrató a su esposa en tres libros: en *El Licenciado Vidriera,* en sus *Memorias* y en la novela *El enfermo.*

[27] *El Licenciado Vidriera,* Madrid, Publicaciones de la Residencia de Estudiantes, 1915, pp. 146-148.

Doña Julia Guinda falleció el 17 de enero de 1974 .

El matrimonio no tendría sucesión. Los dos esposos parece que llevaron una vida en común apacible y feliz. A los noventa años, *Azorín* resumía así su experiencia matrimonial: "El matrimonio es el estado ideal del hombre. Hablo por experiencia. Llevo casado cincuenta y seis años y siempre me llevé muy bien con mi mujer".[28]

Los años subsiguientes los dedicará a la política, aunque no exhaustivamente, porque, como se verá, nunca dimite de su condición de escritor. Son años dramáticos para el país: guerra en Marruecos, la Semana Trágica en Barcelona, el proceso Ferrer, el asesinato de Canalejas y el de Dato, las reivindicaciones autonomistas de Cataluña, la huelga general revolucionaria de 1917. Y de allende nuestras fronteras, la Guerra Europea. En este tiempo, *Azorín* político será cinco veces miembro del Congreso: diputado a Cortes por Purchena (Almería), en 1917, como ya hemos notado, por Puenteareas (Pontevedra), en 1914; por Sorbas (Almería), en 1916, 1918 y 1919. Ocupó en dos ocasiones el cargo de Subsecretario de Instrucción Pública, de 1917 a 1918, y en 1918. El que fuera audaz propagandista del anarquismo, se ha convertido en liberal conservador, sin osadías ni estridencias. En los debates del Congreso, pocas veces hará oír su voz, y cuando lo hace, será sobriamente, sin exaltación alguna, ni oral, ni de gesto, ni de intención. "Sólo una tarde en que un político conservador maltrataba a Unamuno, *Azorín* se levanta y con entera autoridad le reconviene diciéndole que no se puede hablar así de tan gran figura". [29]

Deja buenos recuerdos en la Subsecretaría de Instrucción Pública, no porque realice nada memorable como subsecretario, sino porque se comporta con exquisita de-

28 Julián Cortés-Cavanillas, "Psicoanálisis de *Azorín*", *ABC*, 9 de febrero de 1964.

29 Ramón Gómez de la Serna, *Azorín*, Madrid, Ediciones La Nave, 1930, p. 249. Añade Gómez de la Serna a continuación del párrafo citado: "Al día siguiente recibía unos centenares de tarjetas felicitándole por su noble rasgo".

ferencia y cortesía, porque sabe escuchar, porque no se muestra autoritario, ni lesiona los intereses de nadie, ni comete arbitrariedad alguna. Es el hombre lo que resaltará en el cargo, no el político. Y como hombre bueno y honrado, comete una irregularidad grave; lo cuenta Ramón Gómez de la Serna en su *Azorín:*

> Azorín una mañana se encuentra sobre la mesa con el texto de una Real orden en que se ordenaba que saliese a oposición la cátedra del jefe socialista Julián Besteiro,[30] una de las pocas mentes lúcidas de España.
>
> Azorín lee consternado aquella sentencia de la independencia económica de un hombre que sólo momentáneamente ha caído en desgracia, y Azorín, fiel a sí mismo, como lo es y lo será siempre, toma esa Real orden y sin pensar en más se la guarda en el bolsillo y se la lleva a casa.
>
> Nadie pregunta más por la Real orden, se ha perdido para todos en un largo trámite y la cátedra del grande hombre queda en provisoria expectativa.[31]

No obstante, su carrera política será objeto de acerbas censuras: se le reprocha el abrupto cambio ideológico, sin declaración que lo justifique; se le acusa de haberse mantenido al margen, en actitud claramente evasiva, inclusive aquiescente, ante la dura represión gubernamental por los sucesos de la Semana Trágica en Barcelona (20 de julio a 1 de agosto de 1909);[32] se le echa en cara su admiración por

[30] Julián Besteiro. (Madrid, 1870-Cárcel de Carmona,1940.) Catedrático de Lógica de la Universidad de Madrid. Del partido socialista desde 1912 hasta su muerte. Durante la guerra civil española soportó valerosamente el cerco de Madrid e hizo todo lo posible, y triunfó en ello, para que las tropas nacionales al entrar en Madrid no tuvieran que rechazar ninguna violencia armada que desencadenaría una matanza. Él sí fue detenido y murió en la cárcel de Carmona. Léase toda la historia ejemplar de aquel hombre bueno en Paul Preston, *Las tres Españas del 36.* Barcelona, Plaza & Janés, 1998.

[31] Gómez de la Serna, *obr. cit.,* p. 249.

[32] Para todo este asunto político, véase el excelente libro de Joan Connelly Ullmann, *La semana trágica,* Barcelona, Ariel, 1972.

La Cierva, entonces ministro de Gobernación y responsable directo de las duras medidas adoptadas para liquidar los sucesos.

Ante todo conviene recordar que las críticas al *Azorín* hombre político no han surgido en los últimos años, datan de 1905, año de su incorporación al *ABC* y que no procedían sólo de sus antiguos correligionarios, sino también del propio campo conservador, donde hubo quien le acusó de insinceridad. Los juicios formulados de entonces a nuestros días cubren una amplia gama de suposiciones: No faltan en ellas el achaque a "conveniencia personal" con todo lo que implica de argumento difamatorio cuando no puede probarse, como en este caso, con pruebas irrefutables; no sirve tampoco el achacar su mutación política a una "conversión" que presupondría la existencia de un hecho o circunstancia insólita, perturbadora, que justificase el cambio.[33] Merece la pena buscar otras explicaciones más convincentes. De todo cuanto se ha dicho, lo más razonable, a nuestro modo de ver, son las opiniones de Julio Caro Baroja y José María Valverde: aunadas las dos, la imagen del *Azorín* político resulta más nítida. Dice Caro Baroja:

> Por su amistad con La Cierva y otras amistades, Azorín fue criticado mucho entre los cultivadores de la llamada "pureza política", y es seguro que de haberse compilado aquí, en España, un *Dictionnaire des girouttes* como el que se publicó en París, en 1815, le hubiera dedicado un gran artículo. Mi tío [don Pío Baroja], que tenía muchas razones para conocer a Azorín, y que no aprobaba su gusto por la vida pública, creía que en el fondo tenía una idea cándida y reverencial del Poder, como tal Poder; una idea casi infantil o popular, y que, por otra parte, incluso al tratarse de cuestiones literarias la

[33] De lo poco que sabemos del *Azorín* íntimo, nada induce a suponer que hubiera existido ningún hecho o circunstancia lo suficentemente perturbadores como para hacer de él un hombre nuevo, que tal implica toda conversión.

Política le parecía una herramienta útil. Así, pues, si admiró consecutivamente a varios gobernantes y les dedicó artículos elogiosos, pese a ser casi todos de signos distintos, ello se debió a esta idea popular y muy española de que, al fin y al cabo, el mando es mando, y que del portero al ministro hay un orden jerárquico fijo, gobierne quien gobierne.

Pero, por otra parte, nadie le ha reprochado el hecho de que en otras esferas siguiera el mismo procedimiento y elogiara a autores opuestos entre sí. De esto se ha hecho virtud. Y, en suma, hay que convenir en que, pasados los primeros y escandalosos tiempos de estridencia, Azorín es el crítico que ha volcado la mayor cantidad de simpatía y elogios sobre las personalidades literarias más heteróclitas. Así, pues, no creo que hay derecho a censurar las alabanzas que prodigó a distintos hombres políticos, más o menos que las que prodigó como crítico literario, tierno y efusivo.[34]

José María Valverde, que no mantuvo con *Azorín* las relaciones personales, de amistad casi familiar, como es el caso de Caro Baroja, llega a más en su apreciación del *Azorín* político:

Es notable que el elogio de Azorín [a La Cierva] se refiera a lo puramente administrativo, al margen de una idea política general, para no hablar de ideología: ahí comprendemos el carácter de militancia en el partido conservador, presuntamente limitada a las reformas concretas, bajo el lema de entonces "poca política y mucha administración", que es sabido expresa una política muy determinada, la que luego se centra en el término "tecnocracia".[35]

Ambos testimonios podrían resumirse así, con los distingos inevitables en todo resumen: *Azorín* fue un individuo respetuoso con el orden establecido, aunque prefirie-

[34] Julio Caro Baroja, *Semblanzas ideales,* Madrid, Taurus, 1972, pp. 139-140.

[35] José M.ª Valverde, *obr. cit.,* p. 292.

se un orden en que resaltase lo concreto, práctico y hacedero, *hic et nunc:* administración, burocracia y ordenamiento económico, dirigidos por expertos o técnicos. Si esta fuera la cabal descripción del *Azorín* político, y si insistimos en considerarlo como tal, quedaría sin explicación convincente su punto de partida anarquista, seguido de otros cambios ideológicos—republicano federal, monárquico conservador y varias transformaciones más hasta el final de su larga vida. Pero si no aceptamos el misterio—misterio insondable, como diría él —de su actuación política, y puesto que el punto de partida de ella está en el anarquismo, nos atrevemos a aventurar esta explicación: El anarquismo fue un fervorín para muchos de los intelectuales del 98, pero nada más que eso. La prueba es que ninguno llegó a ser un verdadero teórico de la idea, contrariamente a lo ocurrido en el resto de Europa, donde el anarquismo contó con intelectuales reconocidos. El anarquismo teórico de aquende nuestras fronteras sirvió para que los hombres del 98 tomasen contacto con las teorías socialistas: después abandonaron la vía ácrata, y del anarquismo no quedó en ellos más que un recuerdo mitad nostálgico, mitad vergonzante. Aquellos obreros españoles que participaban de la *idea* (así denominaron ellos su visión del mundo social) les merecieron respeto, pero no confianza: lo mismo les ocurría con la *idea.*

Las sucesivas transformaciones políticas de *Azorín* no demuestran más que su radical apoliticismo (tal vez la solera que subsistió en él del anarquismo). De salto en salto, fue aproximándose a un sistema político que tiene poco de tal, aunque eche mano de instituciones y formas de organización política: autoridad, jerarquía y sistematización administrativa y económica. Cualesquiera de estas formas se plegarán a las circunstancias y a las posibilidades de un momento determinado. Y precisamente, esa elasticidad politica se adecúa a la perfección con la idiosincrasia azoriniana.

Los más claros valores de *Azorín* no residirán en su trayectoria política, como es evidente, sino en su quehacer de escritor. Admiremos, pues, al escritor y abandonemos al político, no sin advertir que entre los dos hay cierta coherencia, ya que no existe, ni ha existido nunca, excepción hecha de casos psiquiátricos, la doble personalidad. El lector avisado notará esta coherencia que, excusado es decir, no implica forzosamente nada de peyorativo.

Por fortuna, en sus años de mayor actividad política, *Azorín* escribirá sin tregua y publicará cada año un libro, a veces, dos. En 1912, *Castilla* (donde figura el famoso capítulo de "Las nubes", cita obligada para ilustrar el tema del tiempo, tan entrañablemente azoriniano); en 1913, *Lecturas españolas,* en que inició una teoría de libros comentando a los autores españoles desde su propia sensibilidad de lector. El empeño fue esforzado porque en aquellos años la seca erudición, la pedantería y los juicios estereotipados que se estampaban en los manuales escolares, impedían cualquier intento de espontánea aproximación a los clásicos. La doctrina azoriniana con respecto a los autores del pasado fue revolucionaria en su tiempo, algo que no debemos olvidar:

> No estimemos, queridos lectores, los valores literarios como algo inmóvil, incambiable. Todo lo que no cambia está muerto. Queremos que nuestro pasado clásico sea una cosa viva, palpitante, vibrante. Veamos en los grandes autores el reflejo de nuestra sensibilidad actual. Otras generaciones vendrán luego que vean otra cosa.[36]

También fue novedad asombrosa presentar como clásicos a escritores contemporáneos suyos, incluyendo en un mismo libro a Cervantes, Galdós, Juan Luis Vives, Baroja, Garcilaso y Saavedra Fajardo, entre otros.

[36] *Lecturas españolas,* Col. Austral, p. 13 (en el "Nuevo prefacio" que hizo para esa edición).

En 1913 publica *Clásicos y modernos,* donde se hallan los cuatro artículos, antes ofrecidos en la prensa diaria, sobre la generación del 98. Los títulos continúan: en 1914, *Los valores literarios;* en 1915, *Al margen de los clásicos* y *El licenciado Vidriera*, contribución azoriniana al tercer centenario de la Segunda Parte del *Quijote,* como en 1905 lo había sido de la Primera Parte *La ruta de Don Quijote; Rivas y Larra* y *Un Pueblecito: Riofrío de Ávila*, en 1916. Este último inspiró a Ortega y Gasset el ensayo *"Azorín* o primores de lo vulgar" (escrito en junio de 1916), clásico en la bibliografía azoriniana.[37]

Entre España y Francia (1917) es el primer libro dedicado al país vecino por el escritor *Azorín,* aliadófilo como la mayor parte de los intelectuales españoles, en la guerra del 14. El mismo año sale a la luz pública *El paisaje de España visto por los españoles,* comentario de textos paisajistas recreados a la manera azoriniana.[38] Al año siguiente publica *Madrid, guía sentimental* y *París bombardeado y Madrid sentimental.* La cosecha. como se apreciará, fue espléndida; nuestro autor lo era en ejercicio permanente. [39]

El tema que sirve de aglutinante a todos estos libros es literario, el motivo, España. Subyace en el tema y el motivo un propósito ejemplar: "No saldrá España de su marasmo secular, mientras no haya millares de hombres ávidos de conocer y comprender", dice en *Lecturas españolas.*

En 1920 tenía ya su público de lectores y su influencia como prosista se dejaba sentir. Parece muy natural que in-

[37] Incluido en *El Espectador,* Madrid, Biblioteca Nueva, 1943, pp. 201-244.

[38] Cf. *La generación del 98,* de Pedro Laín Entralgo: especialmente todo cuanto se dice allí sobre el paisaje de Castilla en *Azorín* y sus compañeros de generación.

[39] En cuanto al amor por Francia, véase: James H. Abbot y Marie Andrée Ricau, "Lo que Francia debe a *Azorín", Cuadernos Hispanoamericanos,* números 226-227 (1968), pp. 150-159. En *Azorín y Francia,* Madrid, Seminario y Ediciones, 1973.

tentara nuevos experimentos literarios; de hecho, siempre fue arador de nuevos campos.

En la década que transcurre entre 1920 a 1930 inaugura dos nuevas modalidades literarias en su oficio de escritor: la novela y el teatro. Por lo que respecta a la novela incidía en el género por segunda vez, recordemos sus primeros libros —*La voluntad, Antonio Azorín* y *Las confesiones de un pequeño filósofo.* Pero no olvidemos tampoco que en ellos se rompía abiertamente con la concepción tradicional de la novela decimonónica: las tres primeras novelas de *Azorín* habían sido un pretexto testimonial para desarrollar en sus páginas experiencias vitales y culturales de su propio creador. En la década de los veinte, abordaba la experiencia novelística con muy otro talante; resultado de él fueron *Don Juan* (1922) y Doña Inés (1925).

¿Cómo son las novelas de *Azorín* anteriormente citadas? En primer lugar, nuestro autor, siempre alerta ante las novedades y prodigioso intuitivo, se alinea entre los renovadores del género, renovadores que habían hecho acto de presencia en la literatura europea a partir de 1900 y en escalada triunfal, precisamente en estos años, culminaban el proceso, verdaderamente revolucionario, de la nueva novela.[40] Con esa intención original y lastrado por su falta de imaginación fabuladora, pues es muy capaz de recrear pero nunca de inventar, compone unas novelas *sui generis,* donde se describe un ambiente, y la sensibilidad de los personajes que transitan por él. Repárese en las palabras que hemos utilizado: *ambiente* y *sensibilidad.* Y cuando decimos de algo —casa, cuadro, lugar— que tiene ambiente, intentamos comunicar no cosas concretas, sino la *impresión* que nos han producido. Si aseguramos que en un hogar hay un am-

[40] Cf. Andrés Amorós, *Introducción a la novela contemporánea,* 2ª edic., Salamanca, Anaya, 1971, pp. 63-66. Sobre la novelística azoriniana, véase *Bibliografía selecta* de la presente edición.

biente tenso, alegre o dramático, manifestamos el resultado de una intuición sugerida por las sensaciones que nos han poseído durante nuestra visita a ese hogar. Así, *Azorín* construye sus novelas con todas esas sensaciones, sentimientos e intuiciones. Esa es la razón de que en ellas ocurran muy pocas cosas y de que sus personajes no tengan problemas de interacción. En rigor, no sufren más problema que el de su propio ser conflictivo. Pruebas abundantes se hallarán en *Doña Inés* de todo cuanto venimos considerando. Las dos últimas obras que clausuraron este ciclo, *Felix Vargas* (1928) y *Superrealismo (* 1929), siguen en esa misma línea, aunque más agudizada.[41]

En la misma década que venimos examinando, *Azorín* se lanza animosamente a la experiencia teatral, cuyo fruto fueron diez obras originales, más dos traducciones.[42] Incursas todas ellas en el llamado teatro experimental, su éxito fue minoritario. Para los jóvenes críticos supuso un acontecimiento notable, la bocanada de aire fresco que se recibe con deleite porque viene a renovar una atmósfera enrarecida. El entonces joven crítico Enrique Lafuente Ferrari saludaba al novel dramaturgo con estas palabras:

> Nuevas cosas comienzan a aparecer en el horizonte de nuestra *Old Spain* !, en nuestra vida familiar y social, que

[41] *Felix Vargas* fue más tarde reeditada con el título de *El caballero inactual*; *Superrealismo*, cambió su nombre por el de *Libro de Levante*. Ignoro el porqué de esta anomalía. También *El licenciado Vidriera* se llamó más tarde *Tomás Rueda*; en este caso, tal vez el cambio de nombre fue debido a deferencia delicada hacia Cervantes, por no desear *Azorín* que hubiera ninguna clase de ambigüedad al citarse su obra o la de Cervantes.

[42] La lista completa de las piezas teatrales de *Azorín* es la siguiente: *Judith* (1926), *Old Spain!* (1926), *Brandy, mucho brandy* (1927), *Comedia del arte* (1927), *Lo invisible (La arañita en el espejo, El segador, Doctor Death, de 3 a 5)* (1928); *El Clamor*, en colaboración con Muñoz Seca (1930), *Angelita* (1930) *Cervantes o la casa encantada* (1931), *Ifach* (1933), *La guerrilla* (1936). A esta producción original, hay que sumar dos traducciones: la de Nicolás Evreinoff, *El doctor Frégoli, o la Comedia de la Felicidad* (1928), y la de Simon Gantillon, *Maya* (1930).

> arrastra una cursilería y una limitación de más de un siglo. Una mayor actividad económica, que trae consigo una apetencia mayor de riqueza, de bienestar nuevas y más ricas necesidades intelectuales, la intervención cada vez mayor y tan renovadora de la mujer en la vida social, en actividades secularmente vedadas: todo esto, ¿no nos da pie para imaginar nuevos estados de conciencia, nuevos conflictos, un nuevo espíritu que llevar al teatro. el arte que debe ser, sobre todos, el índice de una sociedad y de sus inquietudes? Sí; y son seguramente, los espíritus selectos como Azorín [...] los que tienen el altísimo deber literario de encender la luminaria inicial en este camino de purificación.[43]

La primera obra estrenada con tantas esperanzas fue *Old Spain!*, en 1926; la ultima, *La guerrilla,* representada por vez primera en el teatro Benavente de Madrid el 11 de enero de 1936.[44] En este año de 1973, centenario del nacimiento de *Azorín,* ha sido llevada al cine, y anteriormente a la pequeña pantalla de la televisión nacional. Y al leerla, conociendo el tremendo, el fatídico año de su estreno, los entonces adolescentes, podríamos hacernos esta pregunta tan incitante, tan azoriniana: ¿Por qué extraños caminos, por qué túneles de premonición, el hombre que nunca había mencionado la guerra, escribía, precisamente en 1936, su ultima obra teatral, titulándola *La guerrilla?* En esta pieza teatral el tema básico es el horror de la guerra: "¿Qué es la guerra?" —se preguntaba ya *Azorín* en 1929— "Por lo pronto devastación, asolamiento, ruinas, muertes; luego, servidum-

---

Sobre *Ifach* y el teatro experimenta1, véase E. Inman Fox, "La campaña teatral de Azorín (Experimentalismo, Evreinoff e *Ifach*)", *Cuadernos Hispanoamericanos.* n.° 226-227 (1968), pp. 375-389.

[43] Enrique Lafuente, *"Azorín en el teatro"*, *Gaceta literaria,* Madrid, 1 de enero de 1927. Es uno de los primeros trabajos literarios de nuestro eminente historiador de Arte; como se advierte, desde muy joven ya poseía el espléndido estilo y la agudeza singular que hemos admirado siempre en sus libros.

[44] Fue publicada en la colección *La Farsa,* n.° 442, el 7 de marzo de 1936.

bre, esclavitud de unos pueblos dominación, opresión por parte de otros", concluía. Unamuno también había sentido la misma premonición en el año de 1934, cuando al jubilarse, sin júbilo por su parte, había dicho a los estudiantes salmantinos:

> Vosotros, estudiantes españoles, que os ejercitáis en la investigación científica, histórica y social, en la dialéctica —escuela de tolerancia y de comprensión de la concordia final de las discordancias, de la coincidencia de las oposiciones que dijo Cusano—, vosotros tenéis que enseñar a vuestros padres —a vosotros— que esa marea de insensateces —de injurias, de calumnias, de burlas impías, de sucios estallidos de resentimientos— no es sino el síntoma de una mortal gana de disolución. De disolución nacional, civil y social. Salvadnos de ella, hijos míos. Os lo pide al entrar los setenta años, en su jubilación, quien ve en horas de visiones revelatorias rojores de sangre y algo peor: livideces de bilis. [45]

De todo el teatro de *Azorín, Lo invisible* es la pieza más lograda y tal vez la que merece en nuestros días los honores de una reposición. "He hecho teatro que creo será representado cuando no se representen muchos teatros que ahora son muy aplaudidos", dijo *Azorín*. Es lástima que no se haga esa prueba, que no se verifique aquella seguridad de autor. El estreno de *Lo invisible* tuvo lugar el 24 de noviembre de 1927. "Las tres piezas cortas que componen *Lo invisible* habían sido estrenadas fuera de Madrid, por separado, el año anterior: *La arañita en el espejo*, por la compañía de Rosario Iglesias (teatro Eldorado de Barcelona, 15-X-27); *El segador*, por Rosario Pino (teatro Pereda de Santander, 30-IX-27) y *Doctor Death, de 3 a 5*, también por Rosario Pino, en el mismo teatro, 28-IV-27. Más tarde, la obra sería explotada por la compañía de Berta Singerman. Es uno de los títulos más estima-

[45] Cf. Emilio Salcedo, *Vida de Don Miguel*, Salamanca, Anaya, 1964, pp. 376-377.

dos de todo el teatro de Azorín, objeto de frecuentes reposiciones por grupos experimentales o *de cámara*".[46]

En *Lo invisible*, el gran tema, la protagonista "invisible", es la muerte; como presagio de ella, la araña en el espejo. El motivo figura ya en *Antonio Azorín* donde una viejecilla sabe que todo va a acabar para ella, al ver correr por la superficie de un espejo una araña pequeñita.[47] En *Doña Inés* se alude a la misma superstición: "Nubes pardas. Ruido de cedazos. Araña en el espejo. Salero derribado".[48]

La vida del escritor Azorín transcurre en una especie de ritmo decimal: sus periodos más laboriosos abarcan siempre diez años, en ellos publica libros y emprende experiencias originales; sigue un receso, durante el cual escribe artículos periodísticos que luego reunirá en un libro, y de nuevo comienza otra década de renovada actividad Así el hombre obsesionado por el paso del tiempo, por la renovación de sus ciclos, estuvo, por alguna razón que no se nos alcanza, sometido a ellos en su quehacer de escritor.

El 28 de marzo de 1924 accede a la Real Academia Española. Su discurso de ingreso fue una de las disertaciones más originales leídas en la noble y docta casa, desde su fundación en el siglo XVIII.[49] Con el título de *Una hora de España (entre 1560 y I590)* el ilustre recipiendario ofreció las semblanzas de un conjunto de vidas españolas en el crepúsculo de la monarquía de Felipe II. No se mencionaba en ellas ningún nombre propio, ningún ape-

[46] Cf. el artículo de Ricardo Doménech, "Azorín, dramaturgo", *Cuadernos Hispanoamericanos,* números 226-227 (1968), pp. 390-405.

[47] *Antonio Azorín,* edición E. Inman Fox, p. 73.

[48] *Doña Inés,* p. 180 de la presente edición.

[49] Sólo recordamos otro discurso de recepción académica especialmente insólito: el pronunciado por el poeta don José Zorrilla el 31 de mayo de 1885, todo él escrito en versos endecasilabos. (Cf. *Discursos leídos en las recepcíones públicas de la R.A.E.,* Serie II, Madrid, Aldus, 1946, pp. 73-86.)

Azorín, *Una hora de España (Entre 1560 y 1590).* Edición de José Montero Padilla. Madrid, Castalia Didáctica, 1993.

llido identificable, pero las alusiones eran paladinas: allí el Rey viejo, varón de dolores, ocultando con pudor sus penas íntimas, sus frustraciones de gobernante [Felipe II]; alli un viejecito fraile en la soledad de su celda, escribiendo delicadas descripciones de animales laboriosos, humilde prueba de la armonía del universo o adiestrando a sus lectores en la oración y la meditación [Fray Luis de Granada]; en una venta un caballero de "frente desembarazada", observa con humor y compasión, lo que acontece en torno suyo [Cervantes]; un jinete a rienda suelta galopa media España, desde el mar del norte hasta el centro, portando una infausta nueva [la pérdida de la Armada Invencible]. El drama de las profesiones conflictivas es desvelado en la historia del viejo inquisidor quien halla pruebas palpables de herejía en el libro que trajo de Flandes el hijo bienamado; o trata de los cautivos liberados, tan actual en nuestra época contemporánea, representando a un hombre que de regreso al hogar, no habla, no reacciona ante el afecto de amigos y la solicltud de parientes, ensimismado sólo acierta a dar vueltas y más vueltas en círculo, porque en el cautiverio no hizo otra cosa, en torno a una noria, tratado como mula o asno. Contra la escenografía de la gran Historia, con nombres señalados, *Azorín* desmenuza el drama vital y el acontecer diario de los innominados, o la verdad íntima de los famosos.

Mientras tanto, el ritmo de la historia española se acelera: A la Dictadura del general Primo de Rivera, sucede la República de 1931. *Azorín* contemplará los dos regímenes con cierta esperanza. En realidad, siempre esperó algo de todos; nunca fue un desesperanzado No es pesimista *Azorín.* Pero no se entrega ya desde hace años al entusiasmo, a la efusión política; aunque colabora siempre. Quizá ese sentido reverencial del poder que le atribuye Caro Baroja, le hace ver en cada nuevo régimen instaurado la solución de todos los males, de todos los conflictos. Es además un hombre liberal y el cambio le parece siempre favorable. Lo dice muy claro:

> ¿Qué es un político? Pues un hombre que con rapidez se da cuenta de un cambio en el ambiente de una nación, y se adapta al nuevo ambiente.
>
> ¿Qué es un periodista? Pues lo mismo que un político: un hombre que con rapidez se da cuenta de un cambio en el ambiente de una nación y se adapta al nuevo ambiente.
>
> Y en España se ha operado un cambio en el ambiente. Ciego será quien no lo vea. (En el diario *Luz*, "Cambio", 25-IV-1933.)[50]

La década del 30 al 40 (ya hemos hablado de ese ritmo decimal del escritor *Azorín)* está dedicada exclusivamente a su labor periodística: colabora en *El Sol*, *Crisol*, *Luz*, *La Libertad* y *Ahora*. Ha dejado de escribir en *ABC* el año 1930; no regresará a esa redacción hasta 1941.

Al comenzar la guerra española, en octubre de 1936, *Azorín* en unión de su esposa, se traslada a París. Allí vivirá los tres años de la contienda. El problema económico, el más acuciante en un hombre fuera de su patria, lo tiene moderadamente solucionado con sus colaboraciones en el diario *La Prensa* de Buenos Aires. No habla en ellas nada de la tragedia española; cualquiera que lea esos artículos ignorando lo que ocurría por entonces en la patria del escritor, no puede ni sospechar el trasfondo. Sin embargo, es un viejo, entrañable y sensitivo español, el que redacta aquellas crónicas inspiradas en los clásicos de su tierra. España está presente en todas ellas. Años más tarde, cuando las colecciona en libros, sus títulos nos conmueven, pensando en las circunstancias en que se escribieron: *Trasuntos de España* (1938), *Españoles en París* (1939), *Pensando en España* (1940), *Sintiendo a España* (1942). "De nuestro amor a España hablan nues-

[50] Valverde, *obr. cit.*

tros libros", dirá refiriéndose a él y a sus compañeros de generación. Para los argentinos envía también desde París una colección de artículos que, recogidos además en libro, titulará *En torno a José Hernández* (1339).

¿Por qué *Azorín* huye de Madrid, acompañado de su esposa, en octubre de 1936?. Porque la angustia, el temor y el miedo le cercan. Recibe tremendas noticias sobre las muertes de Maeztu, Muñoz Seca y Federico García Lorca, amigos suyos, fusilados, asesinados, en uno y otro lado de la España, dividida en dos por la guerra civil. El escritor Manuel Ciges Aparicio, casado con la hermana de *Azorín*, Consuelo Martínez Ruiz, también es asesinado en Ávila, donde a la sazón era gobernador civil de aquella provincia, el 4 de agosto de 1936. Resumido el horror que acosa a nuestro anciano escritor, se comprende su huída hacia París.[51]

En la capital de Francia están el doctor Marañón, Ortega y Gasset, Pérez de Ayala, Pío Baroja, Manuel Morente, catedrático y primer decano del nuevo edificio de la Facultad de Filosofía y Letras en la Ciudad Universitaria de Madrid, derruído en los duros combates que tuvieron lugar cuando aquella entrada en Madrid se convirtió en frente de guerra. Recuerden como más arriba hemos calificado el estado de ánimo de *Azorín*: Angustia, temor y miedo. A su vuelta a España le esperaban nuevas angustias, nuevos temores. Altas autoridades, civiles y militares, le recibieron con abierta desconfianza. Es un anciano de sesenta y

[51] Sobre Manuel Ciges Aparicio el estudio más completo y riguroso es la tesis doctoral de Cecilio-Nicolás Alonso Alonso, titulada *Vida y obra de Manuel Ciges Aparicio.* Madrid, Editorial Complutense de Madrid, 1985. Dirigida por el catedrático de la Facultad de Filosofía y Letras (hoy de Filología) don Francisco Yndurain Hernández. Sobre Azorín en la posguerra, son notables varios artículos de José Payá Bernabé, siempre con documentación precisa y fiable, y lo publicado por Serrano Suñer respecto a Azorín. Un artículo de Inman Fox en la revista *Ínsula* (abril , 1993) *"Azorín en la posguerra"*, merece leerse con mucha atención, es noble y justo.

seis años y tiene miedo a quedarse sin trabajo en periódicos, revistas y editoriales. Afortunadamente tendrá un buen valedor, situado entonces en la cumbre del poder político: Don Ramón Serrano Suñer, presidente del Consejo de Ministros. Serrano Suñer y un pequeño grupo de falangistas universitarios protegerán a *Azorín*: Dionisio: Ridruejo, Antonio Tovar y Maximiano García Venero le servirán de escudo.

Regresa a España en el mes de agosto de 1939. Reanuda su colaboración en *ABC* en noviembre de 1941. Comienza la década de los cuarenta. En ella, escribirá dos libros de memorias, al modo azoriniano; recuerdos de ambientes, de amigos del pasado, de libros, de cuadros, de olores y sabores: *Valencia* (1941) y *Madrid* (1941), sus dos ciudades. En aquella época llena de cautelas y resentimientos sobre el pasado, el viejo escritor, al rememorar su juventud, volvió por el afecto y la admiración de nombres entonces nefandos: y allí Clarín, su generación del 98, y Castelar, captado éste en un momento de angustia y dolor: aquel en que recibe la noticia del comienzo de la guerra del 98:

> Castelar amaba profundamente la Patria. Esta tarde, en el callado huerto, bajo la ancha y tupida higuera, mientras cae el crepúsculo y suena el *Angelus,* el maestro oye leer los periódicos que acaban de llegar de la capital cercana. La voz del lector se desliza tranquila y sonora en este anochecer augusto; mas, de pronto, se entorpece y balbuce. Se trata de los telegramas de la guerra con los Estados Unidos. Algo tremendo y doloroso ha ocurrido en aguas de Santiago. Sí, es algo trágico y amargo: es la derrota formidable de nuestra escuadra. Entonces, Castelar, conmovido, angustiado, yergue su cuerpo viejo con un esfuerzo heroico y exclama dirigiéndose al lector: "¡Basta, basta ! ..." "¡ La paz, la paz!". Luego vuelve a caer anonadado en su asiento y llora como un niño durante largo rato.[52]

[52] *Madrid,* Madrid, Biblioteca Nueva, 1941, p. 136. Véase nuestra *Bibliografía Selecta*.

Sí, creemos que hay que leer este *Madrid* y esta *Valencia* del maestro *Azorín,* escritas al regreso del destierro. Tenía 68 años.

En la España de la postguerra, los libros de *Azorín* fueron acogidos con simpatía; entre los más jóvenes, sobre todo. Hubo una especie de redescubrimiento y damos fe de que en la Facultad de Fª y Letras madrileña muchos estudiantes de los primeros cursos se embelesaban con su lectura; lo malo era que pretendían escribir como *Azorín* imitando su estilo: el resultado era lamentable. El estilo azoriniano no puede ser objeto de imitación —como sucede con los clásicos—; pero sí de inspiración.

En el año 1944, *Azorín* publicó dos novelitas: *María Fontán* y *Salvadora de Olbena.* La primera la subtituló, *Novela rosa;* la segunda, *Novela romántica.* En rigor, son ambas dos narraciones del género rosa, *aunque* escritas por un gran maestro.[53] Creemos que los dos subtítulos fueron puestos con el puro ánimo de no engañar al lector, tal vez dispuesto a encontrar en ellas el mismo talante que en *La voluntad,* por ejemplo. *Azorín* juega limpio con sus lectores ofreciéndoles lo que promete. Leídas con ese entendimiento resultan deliciosas. *La isla sin aurora,* que se edita el mismo año que las dos novelas citadas, acusa otro talante; si su autor no hubiera sido tan poco amigo de explicar la génesis de sus creaciones, es muy posible que en ella viéramos alguna clave que hoy se nos oculta.

Aún durante estos años pergeña otros dos libros: *El escritor* y *El enfermo.* En el primero, intenta reflejar las ideas y el comportamiento literario de dos escritores pertenecientes a generaciones distintas, incluso muy dispares; el segundo, es el relato de los achaques físicos de un viejo señor, el propio *Azorín.* Acusan los dos libros el peso de la edad, la muy evidente senectud de su autor.

[53] La experiencia "rosa" databa de 1925, fecha de la primera edición de *Doña Inés;* más adelante trataremos de ello.

Pero sigue escribiendo. Ahora ha descubierto una nueva afición: el cine. En otro lugar [54] he recordado la imagen entrañable de aquel viejecito que descubría el séptimo arte a los ochenta años de su edad: "Muchos madrileños de los años cincuenta se asombraron del entusiasmo del viejo maestro del 98 por el séptimo arte. Recuerdo haberle visto entrar, en mis años de estudiante, en el cine *Panorama*, de la calle de Cedaceros. El *Panorama* era, por aquel entonces, un cine destartaladillo y de módico precio, frecuentado por estudiantes y gentes del barrio. En sus calles adyacentes y próximas está el edificio de las Cortes, antiguo Congreso de Diputados que tantos recuerdos despertaría en *Azorín;* cerca está también la Carrera de San Jerónimo, y un poco más lejos la calle del Prado, con el viejo edificio del Ateneo; más arriba la plaza de Santa Ana, con el Teatro Español y, perpendicular, la calle de Alcalá. Precioso barrio en donde aún hay casas en que viven gentes de diferente condición social y económica y que, por ahora, se ha librado de ser el barrio clasista que impera en el nuevo Madrid".[55] Sus crónicas sobre el cine dieron pie para dos libros *El cine y el momento* (1953) y *El efímero cine* (1955). Aunque *Azorín* no frecuentase el cine hasta su ancianidad, hay que hacer constar que su técnica literaria es muy parecida a la cinematográfica: uso de primeros planos, de panorámicas, lentitud descriptiva y procedimientos sugerentes. De todo ello se percibirán preciosos ejemplos en *Doña Inés.* Sin embargo, el cronista cinematográfico *Azorín* no es un crítico de cine, tal como hoy entendemos que debe ser un escritor especializado en ver películas y hacernos una crítica técnica. *Azorín* comenta las películas que ve con la misma disposición de ánimo, el mismo talante e idénticos procedimientos, que emplearía en una crónica

[54] Elena Catena, "Lo azoriniano en *Doña Inés*", *Cuadernos Hispanoamencanos,* núms. 226-227 (1968), pp. 266-291.
[55] *Art. cit.,* p. 276.

sobre Cervantes o el Cantar de Mío Cid. Salvada esta objeción, leer los dos libros que hemos citado, no deja de proporcionar una simpática complacencia. Y para muchos tendrá su discreto encanto leer los comentarios de *Azorín* sobre Gregory Peck, Ava Gardner, Jean Marais, Fernando Fernán-Gómez, Claudette Colbert y Aurora Bautista, entre otros muchos.[56]

Y siempre continúa escribiendo y leyendo (en sus crónicas de cine, no deja de citar libros especializados sobre ese arte, libros que le llegan de Francia). Ya entrado en los ochenta años, recibe el Premio March, en 1958, cuya cuantía vendrá a ayudarle económicamente. No se olvide que *Azorín* fue *sólo* escritor y que por ello en su vejez no gozaba de ninguna ayuda oficial, como sucede en otras profesiones. Vivió de sus libros, del ejercicio de su pluma en revistas y periódicos, y eso aún no tenía jubilación remunerada. (Su viejo y entrañable amigo Baroja en su ancianidad, seguía escribiendo pensando en que había que trabajar, que ganarse el pan de cada día.) *Azorín* que tanto y tan bien escribió sobre multitud de escenas cervantinas, no comentó nunca aquella escalofriante anécdota que relata el licenciado Márquez Torres, censor de la Segunda Parte del *Quijote, y* que apareció estampada en la Aprobación del inmortal libro:

[56] De lo mucho que se ha escrito sobre Azorín y el cine, conviene resaltar, creo, dos obras. *Azorín. El cinematógrafo*. Artículos sobre cine y guiones de películas, 1921-1964. Valencia. Caja de Ahorros del Mediterráneo. 1995. Edición al cuidado de José Payá Bernabé y Magdalena Rigual Bonastre, y con prólogo de Andrés Trapiello. La selección es insuperable, hecha por los dos inteligentes, sabios y azorinistas sin par, siempre diligentes en servir a los azorinistas españoles y extranjeros que cuidan todo lo que se refiere a nuestro admirado escritor. La otra obra es una dedicada al cine: *El cine y la memoria*. Madrid, Nickel Odeon Dos, 1996. De uno de nuestros grandes, buen escritor, productor y guionista de películas inolvidables, Juan Miguel Lamet. En las pags.193-196, Lamet recuerda a Azorín (*Azorín o la clarividencia*). He tomado de ellas las últimas líneas para concluir mi *Introducción* en esta edición de *Doña Inés*. Gracias admirado Juan Miguel Lamet.

Dice allí que estando censurando el texto cervantino tuvo ocasión de acompañar al cardenal arzobispo de Toledo en la visita que éste hizo al embajador de Francia en Madrid, y que unos caballeros franceses, "tan corteses como entendidos y amigos de buenas letras", al saber que conocía a Cervantes le rogaron que se lo presentase, y que al inquirir ellos sobre la "edad, profesión, calidad y cantidad del ilustre autor, y al serles respondido que "era viejo, soldado, hidalgo y pobre", uno de los franceses, olvidando quizá su condición de diplomático, respondió "estas formales palabras": "Pues ¿a tal hombre no le tiene España muy rico y sustentado del erario público?".

El 2 de marzo de 1967 *Azorín* moría en Madrid. Era el último hombre de la generación del 98. Le faltaban tres meses para cumplir los 94 años.

Manifestábamos al comenzar a escribir esta pequeña biografía nuestros escrúpulos de no acertar con una imagen fiel del biografiado. Al darle fin, volvemos a recaer en la misma aprensión; sálvenos la buena voluntad del empeño, el amor que siempre hemos sentido por el escritor que hoy editamos. Pero antes de concluir el relato de su vida, recordemos una de sus características más humanas y excelsas: su inagotable generosidad para sus compañeros de las letras, jóvenes y viejos, amigos y adversarios. Y un recuerdo que afecta especialmente a nuestra generación, la de la postguerra española: en el verano de 1945 *Azorín* publicó en *ABC* un artículo encomiástico sobre una novela escrita por una jovencísima escritora; siempre fiel a su costumbre de conectar el pasado con el presente, comparaba la obra con otra de Galdós. La joven escritora era Carmen Laforet su novela, *Nada*. Cientos de lectores se aprestaron a conocer la novela que el viejo patriarca: de la literatura contemporánea acababa de parangonar, casi en los mismos términos entusiastas, con la galdosiana *Miau*.

Doña Inés (Historia de amor)

La primera edición de *Doña Inés* salió de la imprenta de Rafael Caro Raggio, cuñado de don Pío Baroja. Por la limpieza de su texto, es la mejor de las publicadas hasta ahora. Sólo una errata, insignificante, se ha deslizado en una de sus páginas: *mozeta,* en vez de 'moceta', como es obvio (cap. XII). En las ediciones subsiguientes, el número de errores vicia de tal manera el texto, que un lector atento se vuelve loco intentando descifrar algunas de sus frases, o supone que también *Azorín,* como Homero, dormía de vez en cuando. No sólo para regocijo del lector, también, y sobre todo, para mostrar lo importante que es el conocimiento del vocabulario usado por *Azorin,* citaremos algunas de esas erratas: "En un *cajón* de la bolsita hay napoleones, duros, ... el otro está henchido de onzas de oro" (cap. XX). La palabra que aparece en cursiva debe ser *cujón,* con lo que todo se aclara. "Espesa fronda de álamos *alumbra* en lo profundo, entre ramas, troncos y follaje, el arroyuelo" (cap. IX). Imposible que una espesa fronda "alumbre" un arroyuelo, ni nada; lo *adumbra,* es decir, lo obscurece con su sombra reflejada en las aguas. Otras muchas erratas pulu!an en las reimpresiones: tableros por *tablaros;* cerros por *cirrus,* terreno por *terrero,* etc., etc. Convenía, pues, limpiar de erratas el texto, restituyendo su prístina pureza. Nuestra tarea ha sido facilitada por esa primorosa edición *princeps,* corregida seguramente por el propio *Azorín,* contertulio y amigo entrañable de los Baroja, en cuya casa vivía el editor de la novela, como miembro de la familia. Es lástima que el mismo autor no nos haya dejado un relato de la anécdota, que sería sabrosa si se aderezaba con las perplejidades del cajista: "Señor Azorín, esto de *adumbrar,* ¿no será alumbrar?", por ejemplo.

Los primeros lectores de *Doña Inés* fueron los Baroja. Julio Caro Baroja, hijo del editor, ha contado no hace mucho la impresión que causó la novela entre los suyos, y vale la pena reproducir sus palabras:

> En 1925 Azorín publicó *Doña Inés,* una delicada historia de amor. Fue también mi padre el que se la editó y recuerdo el efecto que produjo en casa; sobre todo a mi madre, admiradora fiel y siempre constante del amigo de la primera juventud. Mi tío [Pío Baroja] veía en la novela mucho primor, pero poca acción. Hay unas páginas de ella en que se repiten expresiones como las de "no sucede nada", "no ha sido nada" y mi tío comentaba: "Eso es lo que no veo novelesco: que no pase nada". [57]

Se comprende muy bien la perplejidad de don Pío Baroja autor de *La busca* y *Zalacaín el aventurero,* novelas en las que suceden mil peripecias, en que el lector está sometido a una tensión continua, rodeado siempre de personajes, hasta el punto de que con frecuencia se pierde el hilo conductor del que juzgábamos ser el héroe principal del relato. Pero, lo hemos apuntado anteriormente, las novelas de *Azorín* describen ambientes y exploran en la sensibilidad de los personajes con intuiciones asombrosas. Suceden muchas cosas, en las novelas de *Azorín,* pero de muy diferente índole y condición a las acontecidas en las de Baroja.

No queremos ser impertinentes explicando al lector lo que de inmediato, y por sí mismo, va a conocer.[58] Además ¿por qué hacerlo? Una obra de arte comporta muy diferentes significaciones, según quien intime con ella. *Azorín* así lo pensaba. Y no vamos a traicionarle precisamente cuando deseamos ganarle admiradores Por eso, en las páginas

[57] Julio Caro Baroja, *Los Baroja,* Madrid, Taurus, 1972 y en *Semblanzas ideales,* Madrid, Taurus, 1972. En ambos libros cuenta la anécdota casi con idénticas palabras. En *Semblanzas ideales* reproduce el artículo "*Azorín,* en el aniversario de su muerte", *Revista de Occidente,* n.° 59 (1968) pp. 138-153.

[58] Lo hicimos en su día en nuestro artículo "Lo azoriniano en *Doña Inés*". Véase *Bibliografía selecta.*

precedentes hemos ido espigando datos para ayudar a su comprensión. Sólo, pues, enfocaremos algunos aspectos de *Doña Inés* que tal ve puedan ser útiles para alguien.

Como se verá *Doña Inés* mantiene una rara y extraordinaria coherencia. En primer lugar, comprende el argumento de varias historias: es una deliciosa novela rosa, en la mejor tradición del género;[59] es la historia de un beso que perturba y conmueve a toda una respetable ciudad provinciana; es un relato ejemplar en el cual la protagonista renuncia al amor del hombre que ama en beneficio de una amiga pobre, hace donación de una parte de sus riquezas entre amigos y servidores y, finalmente, consagra el resto de su vida al ejercicio de la caridad, fundando un orfanato en tierras lejanas (República Argentina). Imbricada en este conjunto de historias, está la de Doña Beatriz de Silva, antepasada de Doña Inés; se trata de una leyenda que con distintas variantes es común a toda la literatura europea. El escenario de todos estos relatos es la ciudad de Segovia, en unos días determinados de un acontecer concreto del año 1840. La ciudad monumental sirve de fondo bellísimo y estático. Los habitantes, desazonados e inquietos, son como actores comparsas.

Los temas que cohesionan los precitados acontecimientos son genuinamente azorinianos: la obsesión del tiempo que en *Doña Inés* ofrece una variante muy sugestiva; [60] la Fatalidad, inexorable diosa de nuestro destino; la pasión, sofrenada y racionalizada; la creación literaria (la aprehensión del motivo, su realización sobre el blanco papel, el talante emotivo y racional del escritor-autor); el arte y la vida; la realidad y la ilusión.

[59] Las peores del género están comentadas con mucha inteligencia y humor por Andrés Amorós en su *Sociología de la novela rosa*, Madrid, Cuadernos Taurus, 1968.

[60] Miguel Enguídanos, "Azorín en busca del tiempo divinal", *Papeles de Son Armadans,* octubre 1959, pp. 13-32.

Dos temas merecen atención propia: el amor y el entorno social y político.

Azorín subtituló la novela *Historia de amor,* lo que parece significar que el sentimiento amoroso era el tema más representativo en ella. Pero si bien se mira, no es el amor en sí lo que resalta en sus páginas, sino más bien el hecho preliminar a todo amor: el enamoramiento *Azorín* no ha tratado nunca del tema amor, en cuanto relación hombre-mujer-sexo. Es un asunto que parece rehuir, tal vez huir. Por eso, sus relatos tienen un cierto aire inconfundible de novela rosa. En tres Capítulos de *Doña Inés,* se describe la tensión erótica de la pareja estelar, Doña Inés y Diego. El eterno contemplador que fue siempre *Azorín* se limita, como siempre, a levantar acta del acontecimiento. Nos hace asistir a él como espectadores. En el capítulo titulado "La flecha invisible" el encuentro mágico ha sido aderezado con todos los tópicos rosas; sin embargo, no experimentamos al leerlo ninguna sensación de falsedad, de inautenticidad. Todo ello es un lugar común, sí, pero como todo lugar común es verdadero y demostrable como teoría general, y así es como lo presenta nuestro escritor, quintaesenciándolo, resumiendo toda la tradición literaria del encuentro-enamoramiento. Un año después de la publicación de *Doña Inés,* Ortega y Gasset trataba de la misma cuestión en su ensayo "Enamoramiento, éxtasis e hipnotismo" (insertado en el libro *Estudios sobre el amor*). El ensayo orteguiano podría servir a la perfección de sabio comento a los amores de Doña Inés y el poeta Diego de Garcillán.

En cuanto a la época en que transcurre *Doña Inés* es una circunstancia que gravita sobre todos y cada uno de los sucesos de la obra. En los años de 1840 a 1848, España vive la desazonante situación de un mundo en trance de cambios fundamentales; agoniza una sociedad tradicional y avanza inconteniblemente otra nueva y de signo muy contrario. Pequeñas y solapadas referencias lo indican de vez en cuando (hemos hecho lo posible para que el lector de esta edición advierta esos sutiles indicios, en las notas puestas a pie de página).

Los argumentos y temas que constituyen *Doña Inés* se ofrecen maravillosamente engarzados en un estilo —el estilo azoriniano— que es lo que da coherencia absoluta a todo el contexto. Veamos en qué consiste.

En primer lugar, el léxico. Evidentemente su comprensión no es siempre sencilla. El autor introduce en su prosa extrañas palabras —arcaicas, técnicas, inusitadas—, pero aunque se desconozcan sus significados, no es incomprensible la frase en que están insertas. Lo que sucede es que el lector aminora su ritmo de lectura. Eso es bueno; por eso se ha dicho que *Azorín* enseñó a leer a sus compatriotas. (Los cursos de lectura rápida hoy tan de moda, no son aconsejables para los frecuentadores de textos azorinianos, por supuesto.)

En segundo lugar, la prosa de *Azorín* se distingue por unos procedimientos *sui generis,* derivados obviamente de su personal cosmovisión. Siendo el autor un sensitivo contemplador del mundo, lo que le caracteriza es el arte de la descripción

Torrente Ballester ha dicho, en un conocido manual de literatura española[61] que *Azorín* tiene "ojos de pintor y alma de intelectual". Suponemos que al decir "pintor" ha querido significar que un noventa por ciento de las páginas azorinianas están empleadas en la descripción, y que esta descripción es realizada con el instrumento manual del escritor —la pluma— que tiene calidades y cualidades muy semejantes —*mutatis mutandis*— a las que comporta el empleo del pincel para un pintor.

La descripción del literato no la vemos con el órgano de la visión corporal, sino con lo que un romántico llamaría "ojos del alma", o un biólogo moderno atribuiría a un tipo de memoria creativa visual. En este sentido, las creaciones

[61] *Panorama de la Literatura Española,* Madrid, Guadarrama, 1965, p. 240.

literarias y pictóricas tienen una clara semejanza, y las de *Azorín* son una buena prueba de ello. En *Doña Inés* aparece muy claramente ejemplificada esta técnica. Pintura y Literatura son dos inspiraciones que arrastran la voluntad de hacer con ellas una experiencia, la de utilizar las técnicas pictóricas en el arte literario del estilo.

Pocas generaciones de escritores españoles han tenido una relación tan estrecha y cordial con sus colegas los pintores como los hombres del 98. [62] Buscaron los literatos analogías entre los artistas del pincel y los de la pluma. *Azorín* estableció comparaciones: "De Regoyos a Baroja, de unos a otros paisajes, del pictórico al literario, no hay más que un paso". Baroja, a su vez, afirmó: "Cuando se habla de cierto paralelismo entro escritores y pintores de la misma época, yo creo que quizás el más parecido a Zuloaga sería *Azorín;* pero *Azorín* es más sereno, y sus personajes y el fondo en que están tienen armonía; en cambio, en Zuloaga da la impresión de que sus figuras, a veces de contorsiones violentas, no corresponden al ambiente". Hemos ilustrado la presente edición con algunos cuadros de Zuloaga, y no sólo porque sirvan de contraste con la opinión barojiana, que apreciamos muy justa, sino por otra razones más concretas.

Azorín y Zuloaga fueron amigos; no amigos íntimos de aquellos que el pintor retrataba en un cuadro siempre inacabado porque quitaba y ponía en él a quien le parecía, según su humor y talante, sino porque en *Doña Inés* hay circunstancias que autorizan a recordar aquí al gran pintor.

[62] Enrique Lafuente Ferrari, *La vida y el arte de Ignacio Zuloaga,* Madrid, Revista de Occidente, S. A., 1972. Del mismo autor: "Ignacio Zuloaga y Segovia", *Estudios segovianos,* t. II, nº 4; "Los retratos de Zuloaga", *Príncipe de Viana,* XI (1950), pp. 41-73. Recuérdese que *Azorín* fue retratado por Zuloaga en 1941. El lienzo del gran pintor es propiedad de la familia de *Azorín.* Del dibujo preliminar del famoso lienzo ofrecemos una ilustración en este volumen.

En 1923 *Azorín* visitó Segovia en compañía de dos buenos amigos, Francisco Grandmontagne y Nicolás María Urgoiti. Existe un testimonio gráfico de esa estancia en la ciudad del Clamores y del Eresma: una fotografía en la que figuran los tres ante el acueducto (véase la reproducción en las láminas que ilustran este volumen). En su breve paso por Segovia, conoció a la familia del Marqués de Lozoya de cuya hermana hizo elogiosa referencia en un artículo publicado poco después. Es casi seguro que visitaría el taller de Zuloaga, aunque el pintor no estaba por entonces en la ciudad. La presencia del arte zuloaguesco se me figura que incontrovertible en varios de los lugares segovianos descritos en *Doña Inés.* Uno de sus capítulos más sugestivos —"Aquelarre en Segovia"— tiene algo que ver con el cuadro de Zuloaga *Las brujas de San Millán,* aunque en él las viejas son siete y en *Azorín,* cinco. En el capítulo susodicho, se menciona el nombre de la iglesia en la exclamación de una de las inquietantes viejecitas andorreras ("¡El jueves, trisagio en San Millán! "). Cierto es que en el lienzo no hay sensación de movimiento, la característica más acusada de la escena en *Doña Inés,* pero en cambio el nombre de su autor pudo sugerir a *Azorín,* esta vez por otras vías que las pictóricas, el ritmo de ballet que tiene toda la descripción. El capítulo a que nos estamos refiriendo y el que le precede ("Tolvanera") podrían ser, casi al pie de la letra, un magnífico guión coreográfico. Y ese ritmo ¿no nos induce a pensar en los ballets rusos del gran Diaghilev, creador de una nueva estética coreográfica, amigo de Zuloaga?

Afirmamos, pues, que el arte de la pintura ha inspirado la prosa azoriniana en esta obra. Algunas de sus descripciones podrían ser apuntes de valor incalculable para un pintor; especialmente a la pintura impresionista y a la zuloaguesca, apunta su prosa. Compruébelo el lector, por sí mismo: los interiores, zuloaguescos; los exteriores, impresionistas. Como es su costumbre, el autor no dice taxativamente nada de todo esto; pero alude a ello. La referencia a la escuela de Barbizón (cap. XXXVI) y a Corot; la descripción de la catedral a diferentes horas del día que recuerda la experiencia de Monet, todo parece indiscutible.

Las fuentes de inspiración en *Azorín* son de varia naturaleza: un cuadro,[63] un libro, una escena real, un olor, hasta un sabor, son para él incitaciones a la creación Tiene poca imaginación creativa, pero esta carencia la compensa con su talento para recrear. Sus continuas citas librescas, los datos concretos que exhibe no deben engañar al lector, induciéndole a suponer que *Azorín* es un erudito. Si es cierto que cuando cita algo lo hace con exactitud y probidad admirables, no hay que pensar que todas sus citas sean reales; se permite a veces pequeñas travesuras, mencionando libros que no existen o situando edificios o monumentos donde nunca estuvieron; y no es infrecuente en él la invención de una historia o una leyenda que nunca tuvo lugar donde él la residencia. En *Doña Inés* es un puro invento el sepulcro de doña Beatriz de Silva, ya que en la catedral no existe nada semejante en la capilla del Consuelo, pero ni siquiera otro sepulcro donde repose una mujer. Claro está que el libro que dice describirlo, tampoco fue escrito nunca. Pero todo ello aunque infundado, no es fantástico: en otros lugares de España existen enterramientos parecidos y en nuestras bibliotecas libros como el de Fray Juan de Boceguillas.

Nada más añadiremos. Goce ahora el lector por sí mismo del encanto de *Doña Inés*, de la magia de su ambiente y de una de las prosas más puras en lengua castellana: la de *Azorín*.

ELENA CATENA

[63] También el cuadro de Zuloaga *Cándida en pie con Segovia al fondo* (hoy en una colección particular en Boston), que ilustra este volumen, nos ha sugerido la gallarda figura de Plácida, uno de los personajes de la novela. Nótese la similaridad de los nombres —Cándida-Plácida— igual terminación, idénticas vocales a-i-a.

NOTICIA BIBLIOGRÁFICA

Ediciones principales de *Doña Inés* de Azorín

1. *Doña Inés (Historia de amor).* Madrid, Caro Raggio, 1925.
2. *Doña Inés.* Madrid, Compañía Ibero Americana de Publicaciones, 1929. [Con un retrato de Azorín, por Solís Ávila.]
3. *Doña Inés.* Buenos Aires, Losada, 1939 (sucesivas ediciones en 1944, 1949, 1953, 1960, 1965, 1969).
4. *Doña Inés,* en *Obras selectas,* Madrid, Biblioteca Nueva, 1943, pp. 679-747.
5. *Doña Inés,* en *Obras completas,* Madrid, Aguilar, 1947, vol. IV, pp. 735-847.
6. *Doña Inés.* Madrid, Biblioteca Nueva, 1939 [a partir de esta fecha se ha reimpreso muchas veces].
7. *Doña Inés.* New York, Appleton Century-Crofts, 1969. (Edición y prefacio de Leon Levingstone.)
8. *Doña Inés.* Madrid, Edelsa, 1996. Adaptador, R. Guerrero. (Lecturas clásicas graduadas).
9. *Doña Inés.* Madrid, Cicento, 1997. Notas y apéndice de Joaquín Serrano Serrano.
10. *Doña Inés. (Historia de amor).* Madrid, Biblioteca Nueva, 1998. Con Prólogo de Jorge Urrutia en las pp. 13-19.
11. *Doña Inés.* Madrid, Espasa Calpe, 1998, en Azorín, *Obras Escogidas,* volumen I, pp. 673-777. Coordinador Miguel Ángel Lozano.

Traducciones

1. *Doña Inés.* Paris, Sorlot, 1943. (Traducción de Jorge Pillement.)

BIBLIOGRAFÍA SELECTA

La presente selección bibliográfica se ha hecho fundamentalmente sobre libros y artículos que de algún modo se refieren a *Doña Inés,* o a temas azorinianos relacionados con esta novela. Como excepción, se han incluido algunas biografías de Azorín.

Barja, César: *Libros y autores contemporáneos.* Madrid Victoriano Suárez, 1935.

Benedito Astray, Rafael: "Notas al romance de San Antonio del libro *Doña Inés,* de Azorín", *Cuadernos Hispanoamericanos,* n.° 226-227 (1968), pp. 491-496.

Blanco Aguinaga, Carlos: *Juventud del* 98. Madrid, Siglo Veintiuno de España, 1970.

——: "Especticismo, paisajismo y los clásicos: *Azorín* o la mistificación de la realidad", *Ínsula,* n.° 247 (1967).

Blanco Fombona: *"Doña Inés",* en *Motivos y letras de España.* Madrid, 1930.

Campos, Jorge: *Conversaciones con Azorín.* Madrid, Taurus, 1964.

Caro Baroja, Julio: "Azorín o el letrado" en *Semblanzas ideales.* Madrid, Taurus, 1972, pp. 133-145.

——: *Los Baroja.* Madrid, Taurus, 1972. [Hay muchas referencias a Azorín, amigo entrañable de don Pío Baroja. El padre del autor, don Rafael Caro Raggio, fue el editor de *Doña Inés,* en su primera edición.]

Casares, Julio: *Crítica profana (Valle-Inclán, Azorín Ricardo León).* Madrid, 1916, y en Col. Austral, n° 469.

Catena, Elena: "Lo azoriniano en *Doña Inés", Cuadernos Hispanoamericanos,* n ° 226-227 (1968), pp. 226-291.
——: "El centenario de *Azorín*" en *El Urogallo,* 1973, pp. 266-291.
——: "Con *Azorín,* siempre", en *Boletín informativo de la Casa-Museo Azorín.* Monovar, Alicante, junio, 1996, pp. 6-9.
Clavería, Carlos: "Sobre el tema del tiempo en Azorín", en *Cinco estudios de literatura española.* Salamanca, 1945.
Cruz Rueda, Ángel: *Mujeres de Azorín.* Madrid, Biblioteca Nueva, 1953.
——: *"Azorín,* prosista", *Cuadernos de Literatura Contemporánea.* Madrid, 1945, n.° 16-17.
——: "Nuevo retrato literario de Azorín", en Azorín, *Obras Completas.* Madrid, Aguilar, 1947, I.
De Torre, Guillermo: *Del 98 al barroco.* Madrid, Gredos, 1969, pp. 119-140.
Eguía Ruiz; C "Breve comentario a *Doña Inés", Razón y Fe,* núm. 308 (1926), p. 440.
Enguídanos, Miguel: "Azorín en busca del tiempo divinal", *Papeles de Son Armadans,* XIV(1959), pp. 13-32.
Entrambasaguas, Joaquin: "Estudio biográfico-crítico de José Martínez Ruiz (1873)", prólogo a la edición de *La Voluntad,* en *Las mejores novelas contemporáneas.* Barcelona, Planeta, 1958, II.
Ferreres, Rafael: *Valencia en Azorín.* Valencia, 1968.
Fox, E. Inman: "Lectura y literatura (En torno a la inspiración libresca de Azorín)", *Cuadernos Hispanoamericanos,* n.° 205 (1967), pp. 5-27.
——: "Una bibliografía anotada del periodismo de José Martínez Ruiz (Azorín) 1894-1904", en *Revista de Literatura,* XXVIII, 55-56 (1965), pp. 231-244.
——: "José Martínez Ruiz (sobre el anarquismo del futuro Azorín)", en *Revista de Occidente,* 36 (1966), pp. 157-174.
——: "Introducción" a su edición de Azorín, J. Martínez Ruiz, *La Voluntad,* Madrid, Castalia, 1968.
——: "Introducción" a su edición de Azorín. *Antonio Azorín,* Barcelona, Labor, 1970.
——: *Azorín: Guía de la obra completa.* Madrid, Castalia, 1992.
Gamallo Fierros, Dionisio: *Hacia una bibliografía cronológica en torno a la letra y el espíritu de Azorín.* Madrid, Dirección General de Archivos y Bibliotecas, 1956.

García Gómez, Jorge: "Notas sobre el tiempo y su pasar en novelas varias de Azorín", *Cuadernos Hispanoamericanos*, n. ° 226-227 (1968), pp. 292-338.

García Mercadal, José: *Azorín. Bibliografía ilustrada.* Barcelona, Destino, 1967.

Gómez de la Serna, Ramón: *Azorín.* Buenos Aires, Losada, 1957, 3.ª edición.

Granell, Manuel: *Estética de Azorín.* Madrid, Biblioteca Nueva, 1949.

Granjel, Luis S.: *Retrato de Azorín.* Madrid, Guadarrama, 1958.

——: "Azorín novelista", *Cuadernos Hispanoamericanos.*

Laín Entralgo, Pedro: *La generación del* 98. Madrid, 1945. Hay edición en la Colección Austral.

Livingstone, León: "Tiempo contra historia en las novelas de José Martínez Ruiz", en *Homenaje a Rodríguez-Moñino.* Madrid, Castalia, 1966, pp. 325-338.

——: *Tema y forma en las novelas de Azorín.* Madrid, Gredos, 1970.

Lott, Robert E.: "Sobre el método narrativo y el estilo en las novelas de Azorín", *Cuadernos Hispanoamericanos,* núm. 226-227 (1968), pp. 192-219.

Maravall, José Antonio: "Azorín. Idea y sentido de la microhistoria", en *Cuadernos Hispanoamericanos,* 226-227 (1968), pp. 28-77.

Marco Merenciano, F.: *Fronteras de la locura (Tres personajes de Azorín vistos por un psiquiatra).* Valencia, Metis, 1947. [Trata de tío Pablo y Doña Inés, en *Doña Inés,* y de Víctor Albert, en *El enfermo.*]

Marías, Julián: *"Doña Inés", Ínsula* (1953) [Incluido en sus *Obras,* Madrid, Revista de Occidente, 1964, vol. III, pp. 253-259].

——: "Cima de la delicia", *ABC,* 16-VI, 1953.

Martínez Cachero, José María: *Las novelas de Azorín.* Madrid, Ínsula, 1960.

Meregalli, Franco: *Azorín.* Milano, Maltasi Editore, 1948.

Montero Padilla, José: "Descubrimiento del cine por *Azorín*", en *Anales del Instituto de Estudios Madrileños*, Madrid, 1996, pp. 403-411.

Montes Huidobro, M.: "Un retrato de Azorín: *Doña Inés", Revista de Occidente,* n.° 81 (1969), pp. 362-372.

Nora, Eugenio G. de: *La novela española contemporánea.* Madrid, Gredos, 1958, I, pp. 231-261.
Piñera, Humberto: *Novela y ensayo en Azorín.* Madrid, 1971.
Rand, Marguerite C.: *Castilla en Azorín.* (Prólogo de Azorín). Madrid, Revista de Occidente, 1956.
Riopérez Mila, Santiago: "Azorín, sensibilidad y ternura". *Cuadernos Hispanoamericanos,* n.° 155 (1962).
——: *Azorín íntegro.* Madrid, Biblioteca Nueva, 1979.
Romero Mendoza: *Azorín* (Ensayo de Crítica literaria). Madrid, 1933.
Ruiz-Castillo Basala, José: *Memorias de un editor.* Madrid, Revista de Occidente, 1972.
Serrano Poncela, Segundo: "Eros y tres misóginos (Unamumo, Baroja, Azorín)", en *El secreto de Melibea.* Madrid, Taurus, 1959.
Valverde, José María: *Azorín* . Barcelona, Planeta, 1971.
——: "Estudio crítico" en su edición de *Articulos olvidados de J. Martínez Ruiz.* Madrid, Narcea, 1972
Vidal, José B.: "El tiempo a través de los personajes de *Doña Inés", Cuadernos Hispanoamericanos,* n.° 226-227 (1968), pp. 220-238.
Vilanova, Mercedes: *La conformidad con el destino en Azorín* (Trayectoria de un escritor español). Barcolona, Ariel, 1971.

ADICIONES A LA SEGUNDA EDICIÓN

Catena, Elena: *"Azorín,* cervantista y cervantino", *Anales cervantinos,* XII (1973), pp. 73-113.
Martínez Cachero, José María: "Azorín: cara y cruz de su centenario", Boletín del Instituto de Estudios Giennenses, LXXVIII (1974), pp. 1-18.
Sáinz de Bujanda: *Clausura de un centenario. Guía bibliográfica de Azorín,* Madrid, Revista de Occidente, 1974.

NOTA PREVIA

La presente edición de *Doña Inés* reproduce la edición primera de 1925 (Madrid, Caro Raggio). Sólo en un caso —dos largos párrafos a comienzos del capítulo VI, *El mechero de gas*— se acepta la lección de las ediciones posteriores, por tratarse, a nuestro entender, de felicísimos retoques estilísticos del propio autor. La edición primera está asombrosamente limpia de erratas; la amistad con su editor, don Rafael Caro Raggio nos hace suponer que Azorín cuidó personalmente de la corrección tipográfica del texto. No sucede lo mismo en las ediciones posteriores, donde con frecuencia las erratas desvirtúan feamente la prosa azoriniana, alguna vez hasta extremos grotescos (véase nuestra *Introducción*). [1]

Hemos preparado un *Glosario* con la explicación de palabras raras e inusitadas; en él damos solamente la acep-

[1] Azorín, dotado de una extraordinaria sensibilidad y de un buen gusto innato para la apreciación de la belleza, con frecuencia menciona libros bien editados. El arte de imprimir le atrajo poderosamente; a este propósito (en sus *Conversaciones* con Jorge Campos) recuerda su bien amada ciudad de Valencia: "Hoy no se compone así. En Valencia imprimen bien: Vives Mora y Tipografía Moderna". Cuando Azorín hace el honor de esta cita a las dos imprentas valencianas, *Tipografía Moderna,* regentada por los hermanos Soler (Amparo y Vicente) ya había cambiado su nombre por el de *Artes Gráficas Soler.*

ción o acepciones empleadas por Azorín, en el texto. En varios casos, hemos descrito instrumentos, utensilios, trajes, embarcaciones y carruajes antiguos, porque aunque somos conscientes de que las palabras que los denominan son familiares a un lector de cultura media, no obstantes sabemos por experiencia profesoral que en la mente de muchos hablantes tales objetos son meras abstracciones genéricas y temporales (v.g. *goleta,* 'barco antiguo'; *ropilla,* 'traje antiguo' o 'de la época de los Austrias'). Un lector de Azorín debe beneficiarse de algún modo con la riqueza del vocabulario y la propiedad y agudeza con que lo usa tan gran prosista.

Las anotaciones en pie de página se refieren a los nombres artísticos, históricos y literarios que tanto abundan en el texto, y alguna que otra disquisición gramatical o estilística. No sin escrúpulos se han redactado esas notas, por el temor de cortar la sabrosa lectura con indiscretas interrupciones. Pero Clásicos Castalia tiene en sus normas la exigencia de tal requisito, y la autora de la presente edición, moderadamente disciplinada y respetuosa, se ha sometido al ineludible requerimiento. Por otra parte, al estudiar *Doña Inés* advirtió que las notas que, en principio, parecian impertinentes, podrían ser útiles y necesarias: útiles, para el lector curioso; necesarias, para aquel que deseara calar más hondo en la intención de Azorín. Las referencias históricas y literarias embutidas en el relato, no están allí como meras citas de erudición o para ambientar la obra, lo que puede parecer a un lector apresurado, sino que cumplen una función determinada al reforzar con datos verídicos de intención alusiva, los temas principales y las actitudes de los protagonistas de *Doña Inés.* No obstante, léase primero la obra sin comentos gustando de su bellísima prosa, de sus descripciones y del encanto de sus protagonistas. Y déjese para una relectura las notas. Toda lectura tiene algo de invención personal, y en ese descubrimiento reside el placer y la experiencia que comunica un libro.

Y nada más. Con Vds., Azorín. [2]

E.C.

[2] Aunque en los preliminares de este libro se ha transcrito en cursiva el nombre de *Azorín,* según es norma para los pseudónimos de un autor, a partir de ahora se transcribirá sin cursiva. En 1925 había perdido entre sus lectores su propia identidad civil —José Martínez Ruiz— y se firmaba Azorín incluso en cartas destinadas a amigos íntimos. Su esposa doña Julia Guinda Urzanqui gustaba llamarse Julia de Azorín. El pseudónimo resultó tan identificativo que me atrevo a asegurar que miles de españoles desconocen hoy día el verdadero nombre del ilustre escritor.

Azorín
De la Real Academia Española

Doña Inés

(Historia de amor)

Editorial Caro Raggio
MADRID

A Don Ramón Menéndez Pidal, maestro y amigo, con admiración y con cariño. *

I

EN MADRID

EN 1840 y en Madrid. Son los primeros días de junio; media tarde. Por una callejuela avanza un transeúnte. La callejuela pertenece al barrio de Segovia. Las afueras del barrio de Segovia son extensas. Están comprendidas en su área la Casa de Campo, el Campo del Moro, el Parque de Palacio; se ven en su extensión lavaderos —quince o veinte; el del Platero, el de la Soledad, el del Escribano, el de la Viuda—; tejares como el de Escudero, el de Zaldo, el del conde de Corbos; huertas cual la de Barrafón, la de Luzona, la de Bornos, la de Fagoaga; paradores como los del Ángel, Gilimón, San Dámaso; casas como la de la Cacharra, del Cura, del Estribo; ermitas: la de San Isidro y la de Nuestra Señora del Puerto. En las afueras del barrio de Segovia está enclavada la Fábrica del gas.

El barrio de Segovia y el del Sacramento se hallan contiguos. Los dos son acaso los que tienen más carácter arcaico en la ciudad. En los dos se ven callejuelas y plazoletas como en las viejas ciudades de provincias. Están allí la plazuela de la Cruz Verde y la de San Javier; las calles de Azotados, del Cordón, del Rollo,

* Esta dedicatoria no figura en ninguna de las numerosas ediciones que de *Doña Inés* han publicado la Editorial Losada de Buenos Aires, desde 1939, y la Editorial Biblioteca Nueva, de Madrid.

de Procuradores, de Tente Tieso.[1] A media tarde, en junio, las sombras que durante el mediodía se hallaban replegadas, cobijadas, debajo de aleros y repisas de balcones, se han ido alargando poco a poco por las fachadas. En las calles, acá y allá, se ven espaciosos zaguanes con el piso de anchas losas; otros tienen menudo ensamblado de guijarros blancos. En el fondo de las casas humildes se columbra una empinada escalera. Los escalones son altos y sus astrágalos están por el comedio desgastados. De noche, en una ventana de junto a la puerta —una ventana con reja— ondula una luz mortecina en un vaso de vidrio. El llamador de cadenita o de sobado cáñamo baja junto a una jamba. Se exhala de los aposentos lóbregos y angostos un vago hedor de moho y de lavazas. Las nobles y viejas casas tienen su encanto peculiar; pero las modestas y vulgares, acaso atraen con más fuerza. Las escaleras pronas y oscuras evocan viejas novelas de Balzac y de Víctor Hugo en primitivas traducciones. Las fachadas se apretujan unas contra otras. Son unas largas y ahiladas; otras, bajas y chatas. Aparecen en los muros, asimétricamente, más altos y más bajos, ventanas y balcones. Son sus vanos de distintas anchuras, y los pisos, en los balcones, muchos son de tablas hundidas, pandeadas. Detrás de esas paredes inexpresivas está lo anodino. Lo anodino, es decir, lo idéntico a sí mismo a lo largo del tiempo; lo inalterable —dentro de lo uniforme— en la eternidad.[2]

1 La pormenorizada relación de las afueras del barrio de Segovia, parece indudable que procede de informaciones recogidas en las obras de Mesonero Romanos, que Azorín conoció en sus ediciones primeras: *Panorama matritense,* Madrid, Repullés, 1835; *Escenas matritenses,* Madrid, Yenes, 1842, y *Manual de Madrid,* 1844. Pero la descripción de los barrios de Segovia y del Sacramento, se deben a un conocimiento personal del autor, madrileño de adopción como tantos habitantes de la capital de España. Aún hoy, en el Madrid del último tercio del siglo XX, existen las calles y casas aquí mencionados, y la plazuelita de San Javier guarda intacta la recoleta intimidad y el encanto de la descripción azoriniana.

2 *anodino*: En 1915, don Julio Casares publicó un libro (*Crítica profana. Valle-Inclán, Azorín, Ricardo León*) donde vapuleaba y ensalzaba, casi a partes iguales, el estilo azoriniano.

La plazuela de San Javier es reducida, chiquita; su piso está en cuesta; se halla formada por el recodo de una callejuela. En lo alto, por encima de elevado tapial, asoma el follaje de una acacia. El sol muriente ilumina la verde hojarasca. Ya la luz solar ha ido subiendo por las fachadas. Tenue y suave, pone reflejos dorados y róseos en la blancura de los muros. Allá en lo empinado de una costanilla, en el esquinazo de una casa, en un tercer piso, los cristales de un balcón, al ser besados por el sol —en despedida hasta el día siguiente— envían a lo lejos un vívido destello.

Los reproches más duros iban dirigidos a la impropiedad con que Azorín usaba algunas palabras, entre ellas, *anodino*. Don Julio adoctrinaba así, al entonces joven autor: "*anodino* es en castellano *lo que quita el dolor,* y en francés tiene además el sentido figurado de *insignificante, neutro, incoloro*". Azorín, en efecto, se había permitido la licencia de usar el vocablo en su significado francés. En *Doña Inés* vuelve sobre la misma palabra, inventando otra nueva y caprichosa acepción: 'lo idéntico a sí mismo a lo largo del tiempo'. En otras páginas de *Doña Inés,* anodino es sinónimo de 'insignificante', acepción aceptada ya por el *Diccionario académico,* y hoy de uso común.

II

DAGUERROTIPO

EL transeúnte que avanza por la callejuela es una mujer. En lo alto de la costanilla, en un tercer piso, la cortina que cubre los cristales del balcón será levantada dentro de un instante por la mano fina y blanca de esta mujer. Va trajeada la desconocida con una falda de color malva; el corpiño es del mismo color. En falda y corpiño irisa la joyante seda. Tres amplios volantes rodean la falda; la adorna una trepa de sutiles encajes. Del talle, angosto y apretado, baja ensanchándose el vestido hasta formar cerca del tobillo un ancho círculo. El pie aparece breve. Asciende tersa la media de seda color de rosa. El arranque de las piernas se muestra sólido y limpiamente torneado. Y, sobre el empeine gordezuelo del pie, y sobre el arranque de la pierna, los listones de seda negra, que parten del chapín y se alejan hacia arriba, dando vueltas, marcan en la carne muelle ligeros surcos. La desconocida es alta y esbelta. El seno, lleno y firme, retiembla ligeramente con el caminar presuroso. Cuando la dama se inclina, el ancho círculo de la falda —sostenido por ligero tontillo— se levanta en su parte de atrás y deja ver la pierna de una línea perfecta. La cara de la desconocida es morena. En lo atezado del rostro, resalta el rojo de los labios. Entre lo rojo de los labios —al sonreír, al hablar— blanquea la nitidez de los menudos dientes. El pelo negro se concierta en dos rodetes a los lados de la cabeza. Una recta crencha divide la negra cabellera. Sobre los rodetes se ven dos estrechas bandas de carey con embutidos de plata. Dos gruesas perlas lucen en el lóbulo de la oreja. Gruesas perlas forman la gargantilla que ciñe el cuello. Amplia mantilla negra arreboza la cara y cae por el busto hasta el brazo desnudo que, puesto de través, la sostiene a la altura del seno.

No percibimos al pronto si esta mujer ataviada al uso popular es realmente una mujer de pueblo o una gran señora. Su manera de andar y sus ademanes son señoriles. Se trata, en efecto, de una aristocrática dama. La finura de la tez, su porte majestuoso y el puro oriente de las perlas de sus arracadas y collar, no nos permiten dudarlo. Junto a la boca y en la barbilla de la dama, una tenue entonación ambarina matiza el moreno color. Los ojos negros y anchos titilean de inteligencia. Parece unas veces perdida la mirada de la señora en una lontananza invisible; otras, pasa y repasa sobre la haz[3] de las cosas a manera de silenciosa caricia. De pronto, un pensamiento triste conturba a la desconocida: la mirada se eleva y un instante resalta en lo trigueño de la faz lo blanco de los ojos. En la boca angosta, los labios gruesos y como cortados a bisel —y ésta es una de las particularidades de la fisonomía—, cuando están juntos, apretados, diseñando un mohín infantil, dan a la cara una suave expresión de melancolía. Una observación atenta podría hacernos ver en el cuerpo de la dama que las líneas tienen ya un imperceptible principio de flaccidez. Se inicia

[3] *la haz*: así en la primera edición, y corregida (*el haz*), en las siguientes. *Haz* es femenino cuando significa 'superficie', como en el párrafo que anotamos; pero debe llevar el artículo masculino por ser nombre que comienza con sonido de *a* tónica. Cf. Manuel Seco, *Diccionario de dudas de la lengua española*, Madrid, Aguilar, 1964, donde se citan textos de Menéndez Pidal, Salinas y hasta de la misma Real Academia Española que en su *Diccionario* incumple la regla dada por ella misma. La incorrección académica (!) citada por Manuel Seco dice así: "felpa... tejido de seda, algodón, etc., que tiene pelo *por la haz*".

en toda la figura una ligerísima declinación. En la cara, fresca todavía, la piel no tiene la tersura de la juventud primera. La mirada y el gesto de la boca lo hacen, sin embargo, olvidar todo. Los ojos y la boca dominan la figura entera. Cuando la dama camina, lentamente, con majestad, de rato en rato enarca el busto como si fuera a respirar. Otras veces, con movimiento presto y nervioso, Doña Inés de Silva —que éste es el nombre de la bella desconocida— hace ademán de aupar y recoger en el seno el amplio y fino encaje de la mantilla.

Un caballero madrileño, el señor Remisa,[4] que ha traído de París un daguerrotipo —y que luego lo ha regalado al Liceo Artístico[5] en este mismo año de 1840—, le ha hecho un retrato maravilloso a Doña Inés. Ha tenido a la señora tres minutos inmóvil, sin pestañear, delante del misterioso aparato, y luego, tras otros diez minutos de operaciones no menos misteriosas, le ha entregado una laminita de plata con su figura. El tiempo y el sol han borrado casi la imagen. Doña Inés está retratada con el mismo traje con que acabamos de describirla. No lograremos ver su figura en la brillante superficie si no vamos evitando con cuidado el reflejo de la luz.

[4] Don Gaspar de Remisa y Meriones (1784-1847), primer marqués de la Remisa. Célebre banquero y hombre de negocios español. Fue presidente del Banco de Isabel II (1846). En el Museo Romántico de Madrid existe un retrato del Marqués, firmado por el pintor Vicente López. Vid. Ramón de San Pedro, *El Marqués de la Remisa. Un banquero de la época romántica,* Barcelona, Publicaciones del Banco Atlántico, 1953.

[5] El *Liceo Artístico y Literario* fue una institución cultural fundada en 1837 por un grupo de renombrados artistas y literatos. Tuvo varios domicilios, hasta que alcanzó la cumbre de la fama y el prestigio domiciliándose en el palacio de los duque de Villahermosa, en Madrid. Con el mecenazgo de dos generosos banqueros de la época, don Gaspar de Remisa y don José de Salamanca, llegó a poseer una selecta biblioteca y una espléndida colección de dibujos y pinturas. En los salones del *Liceo* se celebraron exposiciones, bailes, conferencias y representaciones teatrales. Vid. J. Simón Díaz, *Índice de la Revista del Liceo Artístico y Literario,* Madrid, C.S.I.C., 1947.

III

EN EL CUARTITO

DOÑA Inés de Silva gusta, a ciertas horas, de vestir el traje popular. No hay gran distancia, por otra parte, en estos tiempos entre el traje de una maja pudiente y el de una dama. Se regodea íntimamente Doña Inés con el contraste entre su posición social brillante y el arreo plebeyo. Le place asimismo un vestido que realza sus prendas personales. Y encuentra, finalmente, que un ligero envilecimiento es incentivo en el lance de amor repetido y cansado. Vestida con falda de tres volantes y trepa de encaje, arrebozada en la mantilla, calzado breve chapín con listones de seda negra sobre la media rosa, ha salido de su mansión aristocrática.

El cuartito donde está ahora la dama —ha estado muchas veces en él— se halla en un tercer piso. Desde el balcón se divisa un panorama de tejados; abajo culebrea la calle estrecha y pendiente. El piso de la estancia es de ladrillos rojos; algunas de estas losetas han perdido el barniz y se deshacen en un polvillo tenue. Da luz a la pieza un balcón. A la derecha se ve una puerta y dos a la izquierda. Entre las dos puertas de la izquierda se halla colocado un canapé. Delante se extiende una alfombrilla formada con menudos trapos de colores. Encima del canapé, en el muro, pende una litografía. Representa el cuadro, dentro de ancho marco de caoba, una gran ciudad en el estuario de un río, vista en perspectiva caballera. Las calles son rectas y anchas; muchas de las casas aparecen bajas y achatadas, de un solo piso, con anchos patios en el centro. En las afueras, los anchos y bajos edificios se alejan diseminados por la campiña. Delante de algunas de esas casas de las afueras se yerguen árboles frondosos. Encima de la litografía pone: *Confédération Argentine.* Y debajo: *Buenos Aires. Vue prise à vol d'oiseau.*

Siempre que Doña Inés penetra en el cuarto, su mirada va a posarse en la estampa colgada en la pared. La litografía es inseparable de sus ratos de espera en la estancia. Transcurre el tiempo; no se percibe ningún ruido. Nada turba el sosiego del aposento. La mirada de la dama tropieza con la amarillenta litografía. En el vivir de todos los días, nuestro espíritu, sin que sepamos por qué, se aferra a un objeto cualquiera de los que nos rodean. La fatalidad nos une, sin que lo queramos, a tal mueble o cachivache; ellos son en lo inerte más fuertes que nosotros en lo vivo. Nos rebelamos algunas veces contra nosotros mismos; sentimos desabrimiento por la tiranía de las cosas sobre nosotros; pero otras veces la vista del objeto que nos ha acompañado en horas de tedio y de tristeza conforta nuestro espíritu. Y siempre, con deliberación o sin ella, como imperativo que partiera de la eterna y pretérita informidad, nuestra mirada va a posarse indefectiblemente en el objeto que nos subyuga. Doña Inés, en el cuartito, contempla la litografía amarillenta; por centísima vez lee arriba: *Confederación Argentina,* y debajo: *Buenos Aires a vista de pájaro.*

IV

LA ESPERA

DOÑA Inés está en el cuartito de la costanilla. No sucede nada; todo está tranquilo. Ha salido la dama por la puerta de la derecha y traía en la mano un plato con un vaso de agua. Al llegar frente al balcón, se ha detenido. Ha levantado el vaso y lo ha mirado a trasluz. Ha dudado un momento y ha vuelto a entrar por donde había salido. Al cabo de un instante, ha tornado a salir con otro vaso de agua —o el mismo con otra agua— y ha desaparecido por una de las puertas de la izquierda. No sucede nada; Doña Inés está tranquila. ¿Está tranquila del todo? Se ha sentado la dama en el canapé y ha puesto su mano derecha extendida sobre el muslo; en la mano reluce la piedra azul de un zafiro. Miraba fijamente el zafiro Doña Inés; luego, pasaba suavemente la mano izquierda sobre la mano derecha. ¿Está tranquila del todo la señora? Hay momentos en que estamos tranquilos y en que, sin embargo, sentimos allá dentro de nosotros una levísima turbación. No nos sucede nada; repasamos mentalmente todos los sucesos que pudieran desazonarnos; no existe en ellos nada anormal. Y con todo, diríamos que en el remotísimo horizonte de las posibilidades ha aparecido una nubecilla —no es nada— que ha de ir avanzando hasta convertirse en tormenta. El tiempo pasa. Con la punta aguda de los dedos, la mano derecha extendida, se arregla Doña

Inés, con toquecitos rápidos, la negra onda de pelo que baja desde la crencha hasta el rodete. En tanto, la siniestra mano, al tiempo que el busto se yergue, estira y alisa el corpiño. ¿Se ha oído acaso un ruido en el pasillo por donde se penetra en los aposentos? Doña Inés se levanta y se acerca a la puerta de la sala. No ha sido nada, reina el silencio. Los visillos del balcón son ladeados por la fina mano; la mirada pasea vagamente por el panorama de los tejados y baja hasta el fondo de la calle. No está intranquila la dama y no acaba de sentir perfecto sosiego. Diríase que está en esos momentos singulares en que, a punto de entrar en la zona dolorosa de una enfermedad, permanecemos todavía en la región ya un poco ensombrecida de la salud. Y ahora sí que ha sucedido algo, repentinamente: en el silencio de la estancia ha sonado con furia y ha vuelto a sonar la campanilla de la puerta.

V

LA CARTA

UNA carta no es nada y lo es todo. Cuando Doña Inés ha penetrado de nuevo en la salita, traía en la mano una carta. Una carta es la alegría y es el dolor. Considerad cómo la señora trae la carta: el brazo derecho cae lacio a lo largo del cuerpo; la mano tiene cogida la carta por un ángulo. Una carta puede traer la dicha y puede traer el infortunio. No será nada lo que signifique la carta que Doña Inés acaba de recibir; otras cartas como ésta, en este cuartito, ha recibido ya. Avanza lentamente hacia el velador que hay en un rincón y deja allí pausadamente la carta. Una actriz no lo haría mejor. En toda la persona de la dama se nota un profundo cansancio. Sí; está cansada Doña Inés. Cansada, ¿de qué? En el canapé se ha sentado una vez más, y en su mano derecha, extendida sobre el muslo, refulge el celeste zafiro. La mirada va hacia la carta. La carta será como todas las cartas. Con el cabo de los dedos sutiles —los de la mano derecha— se aliña la señora el negro pelo. La mano izquierda estira el corpiño. Y ahora, al realizar este ademán, al enarcar el busto, surge del pecho, de allá en lo hondo, un suspiro. La carta no dirá nada; será como tantas otras cartas. En el velador espera a que su nema [6] sea

[6] *nema*: curiosa historia la de esta nema y la de esta carta, como meros objetos. *Nema* es palabra de origen griego que significa 'hilo'; con hilos y también con cordones y cintas se cerraron las cartas y otras comunicaciones escritas, desde muy

rasgada. Va declinando la tarde; el crepúsculo no tardará en llegar. La región penumbrosa —levemente penumbrosa— de la inquietud en el espíritu comienza a extenderse. En la zona indecisa entre la salud y la enfermedad, se va operando un cambio; lentamente, con una fuerza que nos arrastra desde la eternidad, sin que todas las fuerzas del mundo —¡oh, mortales!— puedan impedirlo, principiamos a entrar en la tierra del dolor y las lágrimas. La carta está en el velador; blanquea su sobre en la luz falleciente del crepúsculo que se inicia. No dirá nada la carta; será como otras cartas. La dama la tiene ya en sus manos. ¿Cruz o cara? ¿Cuál es nuestra suerte? El sobre[7] ha sido roto. La mirada de la dama va pasando por los renglones.

---

antiguo; con hilos (nemas), cordones o cintas se "empaquetaban", estampando sobre ellas el cuño o sello del remitente, lo que servía, hasta que llegaban a manos del destinatario, como garantía de inviolabilidad. Al difundirse el uso del papel, dejaron de utilizarse los hilos y cordones, sustituyéndolos por obleas engomadas o lacres, con o sin impronta de cuños o sellos. Se utilizó entonces el pliego pequeño de dos hojas; en la segunda, *el escrito,* y en la cubierta o frente de la primera, el nombre y dirección del destinatario, lo que se llamó *el sobrescrito.* En 1840, fecha en que tiene lugar la acción de *Doña Inés,* puede afirmarse categóricamente que no se utilizaban cintas o nemas para cerrar las cartas; sí, en cambio, eran de uso común las obleas engomadas, no superiores a 30 milímetros y de formas distintas, oblondas, circulares o rectangulares. En el texto, por consiguiente, la *nema* no podía ser nema, ni *rasgada*; sería *oblea* y podía ser *despegada, desprendida* o, más violentamente, *arrancada.* (Quiero suponer que el descubrimiento de esta pifia, hubiera divertido al cortés y apacible maestro Azorín). Debo a mi buen amigo don Manuel R. Rodríguez-Germes, prestigioso filatelista español, los datos y precisiones técnicas que me han servido de base para la redacción de esta nota y la siguiente. Conste aquí mi agradecimiento.

7 *sobre*: en 1840 no se usaban sobres en España. Lo normal era el *sobrescrito,* como se ha explicado en la nota anterior. La reforma postal que introdujo el sello adhesivo de correo, se retrasó diez años a la inglesa (6 de mayo de 1840), pues el primer sello español es de 1 de enero de 1850; hasta después de esa fecha no se conoce ningún *sobre* en España, siendo los primeros conocidos los utilizados en las islas Canarias, probablemente facilitados desde Inglaterra. Los sobres, en fin, no se popularizaron en España hasta los años 70 del siglo XIX.

¿Habéis visto la lividez de un cuerpo muerto? Así está ahora el rostro de la señora; mortal ha quedado Doña Inés. Y con movimiento lento, lentísimo, como lo haría una consumada actriz, ha dejado otra vez Doña Inés la carta en el velador. Y al momento siguiente, con brusquedad, la ha cogido otra vez y la ha estrujado fuertemente en el puño. Se ha vuelto a sentar abatida en el canapé. Respiraba jadeando. Ya está aquí el crepúsculo de este día largo y sereno de primavera. Dentro de un instante lucirá una estrella en el azul pálido. Todo está en silencio. Nos hemos resignado ya al dolor. Hemos entrado ya en la región de la enfermedad. El pavor de antes del tránsito y en el tránsito, ha pasado ya. Desde esta luctuosa ribera, nuestros ojos contemplan la otra ribera apacible y deleitosa de la salud, allá enfrente. ¿Cuándo volveremos a ella? Y, ¿es seguro que volveremos? ¡Adiós, adiós, amigos! Doña Inés ha cogido la carta, la ha rasgado en cien pedazos y ha abierto el balcón. La mano fuera del balcón lanzaba los cien pedacitos de papel blanco. Los múltiples pedacitos de papel caían, volaban, revoloteaban en la luz penumbrosa del crepúsculo, y una encendida estrella rutilaba en el cielo diáfano.

VI

EL MECHERO DE GAS

UN mechero de gas brilla en alguna parte. El alumbrado por gas [8] ha sido ya establecido en algún paraje. Brillan en las cercanías de Palacio, de distancia en distancia, las llamitas amarillentas. Como las estrellas hacen más profundas las tinieblas que llenan los espacios interestelares, en la inmensa bóveda sidérea, del mismo modo en las noches sin luna, las llamas del gas, diseminadas acá y allá, hacen más densas y misteriosas las negruras nocturnas.

Un mechero de gas luce solitario en la obscuridad. En Madrid ha lucido primero el gas de aceite; [9] des-

[8] *alumbrado por gas*: "Se hizo un ensayo en Madrid en 1832, en la Puerta del Sol y calles de Alcalá, Montera, Carmen, Arenal, Mayor, Carretas y Carrera de San Jerónimo, quedando luego reducido al exterior de Palacio, hasta 1847 que comenzó a generalizarse por toda la villa". A. Fernández de los Ríos, *Guía de Madrid*, Madrid, 1876.

[9] Desde *Un mechero de gas brilla en alguna parte*, hasta *después fue utilizado el gas de carbón de piedra*, la primera edición de *Doña Inés* dice: *Un mechero de gas brilla en alguna parte. El alumbrado por gas ha sido ya establecido en las calles. Brillan en las calles, de distancia en distancia, las llamitas amarillentas. Como las estrellas hacen más profundas las tinieblas que llenan los espacios interestelares, en la inmensa bóveda sidérea, del mismo modo en las noches sin luna, las llamas del gas, diseminadas por las callejuelas, por las desiertas plazas, hacen más densas y misteriosas las negruras nocturnas. Un mechero de gas luce solitario en la obscuridad. Madrid ha sido alumbrado primero por el gas de aceite.* Nuestra edición, que sigue minuciosamente el texto de la primera, conserva en este caso la lección de las ediciones posteriores porque creemos que mejora notablemente la redacción primitiva.

pués fue utilizado el gas de carbón de piedra. En una casa —la de Don Juan— un mechero luce durante todas las horas de la noche. Los salones están a oscuras. Todas las luces de la casa han sido apagadas. En los salones y en las demás dependencias de la mansión, las luces que brillan son de estearina y de aceite. Este mechero de gas, como novedad pintoresca, ha sido colocado en un corredor. Desde un piso elevado, puesta la faz en el cristal, contemplamos allá abajo, en lo hondo del patio, un resplandor en otra ventana. En el patio, angosto y negruzco, se ven de día por el suelo papeles rotos, vidrios, pedazos de tabla. En el silencio de la noche, en el profundo e inalterable silencio, parece que las estrellas que lucen en el pedazo de cielo que encuadra el patio relumbran más vivamente. Y abajo el mechero de gas deja ver un pedazo de suelo enladrillado con losetas negras y blancas. Durante la noche no pasa nadie por el corredor. Alguna vez, de tarde en tarde, diríase, sí, que el resplandor del mechero ha sido anublado por una sombra rápida. La llamita del gas parece una mariposa inquieta. En las *Ilustraciones*[10] hemos de ver, más tarde, los anchos y redondos globos del gas; un tubo de cristal emerge por arriba de la esfera de vidrio esmerilado. Los miriñaques y las chisteras de ala plana forman concierto con los redondos globos. Los redondos y blancos globos están en el ambigú de un baile, en las salas de espera de las estaciones —estaciones con máquinas de estrecha y alta chimenea—, en los despachos de los ministros.

Una débil claridad se ha ido extendiendo en el cuadro negro del patio. Lentamente lo claro se va avivando. Abajo luce todavía el mechero de gas. La claridad del cielo se ha convertido en un resplandor difuso y

10 *Ilustraciones*: durante toda la segunda mitad del siglo XIX, abundan las publicaciones periódicas que llevan en su cabecera la palabra *Ilustración*; la moda, como tantas otras en aquel entonces, nos llega de Francia. La más famosa de todas las Ilustraciones españolas fue *la Ilustración Española e Hispanoamericana*. Vd. Hartzenbusch e Hiriart, *Apuntes para un Catálogo de periódicos madrileños desde 1661 al 1870,* Madrid, 1894.

lactescente. Y desde los tejados, en el angosto ámbito del patio, va bajando ese resplandor con suavidad por los muros de la casa. Ya roza la imposta de la ventana. Las estrellas han desaparecido hace rato. La claridad diurna, viva allá arriba, es todavía borrosa en lo hondo de los cuatro elevados muros. Ha traspasado ya el dintel de la ventana y llega hasta el pasillo en que luce el mechero de gas. El contacto entre las dos luces se ha establecido. La luz del gas se rinde y desfallece; dura un instante no más este desfallecimiento de la luz del mechero —tras la labor fatigosa de la madrugada—; es hora ya de que se recoja la llamita hasta la noche próxima. En el alero de los tejados el resplandor del día es vivo y rojo. De pronto, el fulgor de la llama de gas desaparece.

La noche del día en que recibiera [11] la carta Doña Inés, la ventana del patio —en la casa de Don Juan— no estaba iluminada. No lucía en el corredor el mechero de gas. Toda la casa estaba a oscuras y en silencio. Durante mucho tiempo han de permanecer juntas las maderas de los balcones y de las puertas en esta casa.

[11] *recibiera*: 'había recibido' o 'recibió'. Hay abundantes ejemplos en toda *Doña Inés* de este uso del pretérito imperfecto de subjuntivo, que en la actualidad se considera como muy literario y, en muchos casos, afectado.

VII

EL ORO Y EL TIEMPO

EL dedo índice pasa con cuidado sobre la piel. La pulpa de la yema es suave; brilla la uña combada y esmaltada de rosa. Lentamente el índice, erguido, recto, va pasando y volviendo a pasar por el ángulo de los ojos. Llamea en la estancia, sobre la cama, la colgadura de damasco escarlata con estofa de ramos y amplia caída. Doblado, recio, cae en pliegues majestuosos el damasco desde lo alto hasta la alfombra mullida del suelo. La fina mano de uñas brillantes palpa la faz con suavidad. Llenan el ambiente penetrantes perfumes de pomos y pastillas. Cerrado el balcón, cerrada la puerta, el aire de la cámara, en esta noche de primavera, es cálido y denso. La paz profunda, en lo hermético de la estancia, no ha de ser turbada. La luz suave parece líquida; se derrama por el damasco y gotea en los vidrios y porcelanas de botes y redomas. Y en la dulce vaguedad, en la claror pálida, rota débilmente por los destellos de la porcelana y el cristal, resaltan los damascos rojos y los matices trigueños de la tibia carne femenina. Los encajes, sobre la carne morena, son como blanca espuma. De los ojos, la mano ha bajado hasta la boca. El pulgar y el índice, después de repasar éste por la comisura de los labios, han cogido la piel del cuello, debajo de la barbilla, y la tiran suavemente para ensayar su tersura. Se extiende el seno, casi descubierto, en una firme comba. La henchida voluta desciende armoniosa y acaba por esconderse entre la nítida fronda de las randas. Silencio profundo en estas horas de medianoche. La línea firme de una pierna, ceñida por seda brillante, se marca bajo el amplio y translúcido tejido blanco. La mano delicada ha tornado a repasar por la cara y ha caído luego con desaliento sobre el muslo. La imagen es reflejada por ancho espejo. Ya en la armonía de los dos colores —el rojo y el moreno— se ha introducido un nuevo matiz: el del oro. De un escritorio ha sido sacado un cestito con onzas. La mano fina ha metido los dedos entre el oro; ha levantado en el aire un puñado de monedas; ha dejado caer las onzas en el cesto. Y luego, tras una pausa, en el silencio roto por el son agudo del precioso metal, estos dedos de uñas brillantes cogían nerviosamente las monedas y las apretaban, las oprimían, las refregaban unas contra otras con saña.

El oro no puede nada contra el tiempo.

VIII

VIAJE A SEGOVIA

SEGOVIA dista de Madrid trece leguas. El camino de ruedas pasa por Aravaca y Las Rozas; atraviesa el río Guadarrama; va después a Galapagar y Los Molinos; bordea la venta de Santa Catalina; desfila por el puerto de la Fuenfría; toca, por último, en la venta de Santillana. El camino de herradura va por Torrelodones y Alpedrete.[12] El coche en que viaja Doña Inés tiene la caja encarnada y el juego de ruedas amarillo con vivos azules. Lo arrastran cuatro briosos caballos y una mulita de guía. Doña Inés va recostada en el fondo del coche; las cortinillas están corridas. Un chal de vivos colores a cuadros cae sobre el pecho, después de dar la vuelta por los hombros. La pamela de anchas alas forma un abarquillado sobre el rostro; lucen los ojos en la penumbra; una cinta de seda pasa por debajo de la carnosa barbilla y sujeta el sombrero. El coche ha salido de Madrid al amanecer. Dulce somnolencia embarga a la viajera. El cielo está limpio, y las horas van pasando lentas. De cuando en cuando, encuentran en el camino góndolas y faetones, galeras y mensajerías que van de Madrid a los pueblos y de

[12] Los datos del itinerario los obtendría Azorín del *Diccionario geográfico,* de Madoz (que el escritor conocía muy bien) o tal vez de la *Nueva guía de caminos para ir desde Madrid, por los de rueda y herradura, a todas las ciudades y villas más principales de España y Portugal,* de don Santiago López, impresa en Madrid, en 1838; En *Valencia* (1941) aseguró Azorín que poseía varias ediciones de la *Guía* de Santiago López.

los pueblos a Madrid. Ya está lejos Madrid. El aire vivo y sutil tonifica los nervios. Llena el ambiente un fuerte olor a resina y tomillo. El verdor oscuro de los pinos se extiende en una inmensa mancha; por el boscaje hosco asoma a trechos un azulado risco. Apartando un poco la cortina de la ventanilla, se ve por la rendija, allá abajo, un panorama inmenso. Las nubes dejan caer sus sombras densas entre la luminosidad viva en laderas y llanuras. Quedan entre las sombras, aprisionados, anchos fragmentos de paisaje en que resaltan peñas y árboles. Los colores del paisaje, en la inmensa extensión, son vivos y limpios. El azul oscuro bordea con el ocre. Un albero de tierra clara aparece entre un alijar sombrío con sus chaparros negros y redondos. Los retamares están en flor: amarillean anchas laderas. Los cantuesos es ahora cuando florecen; amplios mantos morados visten los terrenos. Reverberan al sol las paredes encaladas de cuatrro o seis remotas casas. De un pueblecito perdido entre las quiebras, se eleva una humareda que se disgrega y desparrama lenta y suavemente en el azul claro del cielo. Y en la lejanía, cerrando el horizonte, sobre un casi imperceptible apiñamiento de casas —Madrid—, se eleva una neblina como vedijas de suavísima lana carmenada y deshecha.

Más tarde, la rendija de la ventanilla deja ver otro espectáculo. De la cima de una montaña desciende en abombamiento ligero una ladera cubierta de verde. La hierba corta y fresca forma un tapiz aterciopelado. De una parte cierra el pradecillo una cerca de toscas piedras sin argamasa. La albarrada es baja y se aleja sinuosamente hasta llegar a un arroyuelo que discurre en lo hondo, ahocinado entre peñas. En las márgenes del regato, de un espeso zarzal surgen los troncos de ocho o diez álamos negros. En medio de la fina felpa del tapiz que cubre la ladera, aparece una piedra negra y redonda —un tormo—, que diríase ha sido puesto allí para que en los días de vendaval sujete el tapiz y no se vuele. Y el hechizo de este paisaje estriba en la paz y en la suavidad que, en medio de las fragosidades y agrura de los riscos, han venido a recogerse y remansarse en este pradecillo verde y en este grácil macizo de álamos.

A lo lejos, más tarde, asoma ya resaltando en el cielo la cuadrada torre de la catedral. El coche llega a Segovia. De una casa ancha y recia parte a un lado una larga tapia con su albardilla; en la tapia se ve una puerta cochera. Se halla abierta. La puerta, con chirrido de goznes, acaba de ser cerrada. La mancha roja y amarilla del coche ha desaparecido.

IX

SEGOVIA

De la lejana Sierra diríase que se ha desgajado una poderosa mole y ha avanzado por la llanura. En una ladera ha quedado clavada. Suavemente, por la falda del monte se llega a la eminente escarpadura. Luego, la mole se empina y tiende —en el extremo opuesto— un agudo picacho hacia la lejanía. En el promontorio se encima apiñamiento de casas, iglesias, palacios, torres, cúpulas. Los flancos de la elevada muela, que por la parte posterior eran suaves terreros cubiertos de verdura, han ido poco a poco haciéndose más abruptos. Lo que eran huertas y arboledas se cambia en sequeral y peña viva. La verdura desaparece. Los flancos de la mole son un acantilado. Surge el espolón empinado y agudo del peñasco. En el azul del cielo —sobre el amontonamiento de las viviendas— resaltan lo amarillo de la torre de la catedral y lo ceniciento de las techumbres del Alcázar. En el poblado, por entre las paredes, de los hortales y de los jardines públicos, se escapan borbollones de lozano verdor. Desde lo más empinado de la ciudad van escalonándose esos burujos verdes, desriscándose hacia lo hondo, espesándose cada vez más, hasta juntarse con las huertas que cubren los flancos de la peña. En el fondo, a una banda de la elevada mole —sobre la que se asienta Segovia—, corre un riachuelo, el Eresma; por la otra parte se desliza un arroyuelo, el Clamores. La espesura del boscaje casi oculta la cinta espejeante del río; entre los claros de la arboleda se ven a trechos los cristales de las aguas. Espesa fronda de álamos y almendros adumbra en lo profundo, entre ramas, troncos y follaje, el arroyuelo. La torre de la catedral se yergue amarilla en lo azul. Las techumbres plomizas del Alcázar y de San Esteban resaltan junto a lo amarillo, en el añil, sobre la aspersión de lo verde en el pardo poblado.

En todo el ámbito de la ciudad, y en sus contornos, desde siglos atrás y a través de todas las mudanzas, millares y millares de manos se mueven incesantes. Son manos varoniles, manos femeninas, manos de adolescentes, manos de niños; son manos de jóvenes, manos de viejos; son manos huesosas, manos puntiagudas, manos regordetas. El inmenso y afanoso enjambre de manos va a lo largo del tiempo renovándose, jabardeando. Todos esos millares y millares de manos, se ocupan en el arte textoria de la lana. Todos esos millares y millares de manos tocan, palpan, tientan, aprietan, trabajan, labran la lana. Desde el rico limiste hasta el grosero buriel, salen de esas manos variedad y copia de paños. La lana es lavada, arcada, carmenada, cardada, teñida, hilada, tejida. Los paños son escurados, bataneados. La ciudad resuena con el ruido de los telares. El lino es también trabajado. Las diligentes manos que tejen los paños labran también primorosas telas de lino. Labran asimismo sombreros; adoban cueros; fabrican papel. Entre los millares y millares de manos, a lo largo del tiempo, se columbran los vivos colores del damasco en sayas y corpiños, y las negras pinceladas de las ropillas de terciopelo. Brillan las veneras de diamantes y ondulan al viento los penachos. Suenan músicas; desfilan carrozas por las calles. Las espadas tienen las guarniciones trabajadas con oro. [13]

[13] La precedente descripción recuerda otra muy semejante del capítulo *Una ciudad y un balcón* de *Castilla*, del mismo Azorín. Incluso allí se refiere también a Segovia, la ciudad de los tejedores: "Tunden los paños los tundidores; córtanle con sus sutiles tijeras el pelo los perchadores; cardan la blanca lana los cardadores; los chicarreros trazan y cosen zapatillas y cha-

Las más exquisitas viandas pasan por las espléndidamente aparejadas mesas.

El tiempo se va deslizando. El espeso enjambre de manos clarea. Muchos de los ricos lanificios se han cerrado; el estrépito de los telares se va asordando. Se han desplomado cuatro, seis u ocho casas en una callejuela; han arrancado las puertas y las ventanas y se las han llevado. Diez o doce de las treinta parroquias, han sido clausuradas. El torbellino de las manos es más lento; escasean las manos de adolescentes. En otra calle se han caído otras muchas casas. Los telares van desapareciendo. Los años pasan. En la diuturnidad del tiempo las manos van disolviéndose. El pie no mueve ya las cárcolas; las viaderas no suben ni bajan, ni las lanzaderas van de uno a otro lado. Está la ciudad —como en las horas de la madrugada, pero con pleno sol— en profundo silencio. Un palacio, en una calle desierta, tiene las puertas cerradas. Los balcones están abiertos de par en par. Los cristales de los balcones aparecen rotos; por uno de los anchos vanos se ve colgar el largo jirón del empapelado de las paredes que se ha desprendido.

La torre de la catedral es cuadrada, recia, con resaltes en las esquinas. La corona una media naranja; esa media naranja es precisamente lo que le da carácter. Redonda en su cabo, armoniza con las nubes redondas. Los hinchados cúmulos —blancos, nacarados, encendidos— la hacen esplendorear soberbia en los ocasos. Parece viva. La luz de Segovia es más reverberante y fina que la luz de las otras ciudades españolas. Vive la alta torre en la luz. La hora del día, el tiempo, el sol, las nubes, hacen cambiar a la torre de color y aun de forma. Los resaltes de los ángulos son más salientes o desaparecen, y el matiz llega a rojizo, pasa por amarillo, se desvanece en un pajizo suave, según la luminosidad del momento. Los espesos burujos verdes que asoman a su

---

pines; embrean y trabajan las botas y cueros en que se ha de encerrar el vino y el aceite, los boteros".

pie en la ciudad, entre las casas, realzan la amarillez de la torre. Desde varios puntos de la ciudad se la ve surgir de la verdura. La hora de su exaltación es cuanto, amarilleando, en el azul, se esponja con el atardecer, en su base, la fresca arboleda, y relumbran arriba las nubes de nácar y de oro.[14]

[14] Las referencias a la catedral abundan en *Doña Inés*; pero, sobre todo, aparece descrita a diferentes horas del día, con un mimo y un amor como el destinado a un ser vivo —"Parece viva", dice literalmente el autor. Y a causa de esta atención, y por tantas otras circunstancias del libro, ¿sería verdaderamente aventurado suponer que Azorín conocía la anécdota de Monet pintando la catedral de Ruan en diferentes horas y momentos del día, que tal vez conocía también los cuadros productos de esa experiencia artística y que nuestro autor quiso hacer la misma prueba en literatura?

X

LA CASA DE SEGOVIA

La casa —medio rústica, medio ciudadana— se levanta entre la ciudad y el campo. Es vasta y sólida. Está labrada de piedra berroqueña granigruesa, cenicienta y con pintas negras. Sobre la puerta campea un gran escudo con la selva espesa —*silva procera*— de este linaje de Silvas. Tiene la casa como accesorias cochera, caballerizas, un pajar. Los vanos de la fachada están encuadrados en acodos que figuran cabezas de clavo. La planta baja se halla dividida en su comedio por tres arcos: uno ancho, y dos laterales, estrechos. La escalera se encuentra a un lado. A la derecha y a la izquierda se abren las puertas de espaciosas salas. El zaguán está amueblado con sillones y un canapé provisto de mullidas colchonetas. Extenso y frondoso huerto respalda la casa; anchuroso patio linda con el huerto. La cocina se halla en la parte posterior; tiene salida al huerto. Del huerto traen a la cocina en un instante las frescas hortalizas y las hierbas aromáticas —tomillo salsero u hortense, alcaravea, perejil, romero— con que se aliñan los manjares. En el vasar de la cocina o colgados a lo largo de las paredes, se muestran —en porcelana, barro, cobre, azófar, peltre y hierro— los utensilios del arte coquinario. La batería luce de limpia; peroles, ollas, sartenes, cazos, pucheros, aparecen refulgentes. Contiguo a la cocina están la despensa y el tinajero; panzudas tinajas se hallan empotradas en tierra. Los acetres para sacar el aceite penden de alcayatas y coinciden —para que no se manche la pared— con recuadros de blancos azulejos. En el techo hacen apetitosa vista abundante cuelga de perniles trasañejos, rojos chorizos, negros morcones. El cuarto de la plancha y costura se encuentra también cerca de la cocina. Se ven en esa estancia un armario, una mesita con reborde para que no se escapen ni deslicen carretes y tijeras, tablas para planchar, bateas de mimbre para colocar la ropa. Todavía se guarda en el armario una cabeza de madera sin facciones que servía para planchar las gorritas de la niña.

En el piso principal hay anchas salas, cuartitos, pasillos. Las camas están deshechas, con los colchones doblados. Encima de una mesilla de noche se ve un libro con un redondel grasiento de cera en la cubierta: con él se ha apagado una vela. Al pie de las camas se extienden —para que los pies descalzos se posen en su blancura cálida— pieles de carnero y oveja con tupida y fina lana. Las famosas merinas de Segovia están aquí presentes. Por toda la casa —delante de los canapés, delante de los sillones— se descubren zaleas abondo. En una sala hay libros en armarios. Las hileras de los volúmenes tienen anchos claros; muchos de los libros aparecen tumbados, solitarios. De pronto, al abrir una puerta que parece debiera mandar a otra sala, se ve una corta galería con otra puerta enfrente. La galería da al huerto. Y las ramas de un árbol llegan hasta la baranda y se enlazan con los cuadradillos de hierro.

En el desván se ven arrimados a las paredes, en los rincones, trastos y viejos cachivaches: un biombo chinesco; baúles con la tapa abombada y forrados de piel con su pelambre; un clistel en su caja; unas andaderas de niño; una rejuela para calentar los pies; un haz de escobas nuevas de algarabía, faroles puestos en una pértiga, de los que se traen para acompañar a los santos en las procesiones... Desde las ventanas se otea la campiña y la lejana Sierra.

El primer rellano de la escalera cae debajo de uno de los arcos laterales y forma, dentro del mismo zaguán, a manera de una tribuna con su barandilla. Al pie de esta tribuna se colocaba por la noche, en una mesa, un velón de cuatro mecheros. Cuando se extendió el invento de Quinquet, se colocó aquí una lámpara de aceite con el depósito a un lado y al otro el brazo del mechero con un tubo de vidrio y una pantallita verde. De niña, Inesita gustaba de permanecer en este rellano de la escalera por las noches. La luz que llegaba de abajo dejaba en la penumbra los tramos; débilmente resaltaba en la sombra el dorado marco de un cuadro. Los visitantes de la casa charlaban abajo, sentados en el canapé y en los sillones. La niña, en el descansillo, experimentaba una sensación extraña: el rellano con su baranda era como un balcón que diese a la calle, y al mismo tiempo este balcón estaba en el interior de la casa. El rumor de la charla ascendía hasta la niña. La penumbra ponía misterio y gravedad en el vasto zaguán. La niña, ensimismada, silenciosa, permanecía largos ratos sentada en un escalón.[15]

Y esta extraña sensación de cercanidad y distanciamiento del mundo, a un tiempo mismo, debía repercutir a lo largo de toda la vida de la niña y constituir el

15 Es una delicia esta descripción de una casa segoviana a mediados del siglo XIX. La técnica descriptiva empleada por Azorín en este capítulo, y en otros muchos de *Doña Inés,* es semejante en todo a la cinematográfica. Desde la primera frase —panorámica de la fachada seguida de un salto de *zoom* enmarcando el primer plano del escudo de los Silva— se nos invita a trasponer el dintel de la puerta y nos introducimos en la mansión como si fuéramos guiados por una cámara de cine que despaciosamente nos fuera abriendo camino a través de pasillos y aposentos.

Nadie hasta hoy se ha propuesto llevar *Doña Inés* a la pantalla. La experiencia valdría la pena, siempre y cuando se hiciera con la más depurada técnica cinematográfica y por un director que asimilara todo el ambiente de sugerencias e intuiciones azorinianas. El guionista técnico poco tendría que añadir de su cosecha; Azorín lo indica todo: diferentes planos, colores, movimientos y sonidos, ángulos de toma, transparencias, etc., etc.

Retrato de Azorín. Ignacio Zuloaga

Azorín, Grandmontagne y Urgoiti, en Segovia, 1923

núcleo de su personalidad. La esquividad, el apartamiento, la enconada aversión hacia una sociedad estúpida y gazmoña habían de impulsarla poderosamente por un lado; y por otro había de sentirse llevada hacia el efusivo y múltiple trato humano, con calor, con cordialidad, con emoción.

XI

TÍA POMPILIA

—¡POR fin ha querido venir Inesita! —exclama tía Pompilia.

La señora es vieja y menuda; tiene muchos años; pero las mejillas de tía Pompilia —eterna juventud— están pintadas de arrebol y los labios manchados de carmín. Camina la anciana apoyada en un bastón de ébano con el puño de plata. Hace años, al bajar una escalera precipitadamente —no podía bajar de otro modo— resbaló y se lisió una pierna. Claudicante, ligera, con maravillosa festinación, va de una parte a otra tía Pompilia. Dos o tres veces ha resbalado ya también al apoyarse en su bastón; hoy llevaría en el cabo del palo una virola de goma; el invento ha venido un poco tarde para la anciana. Tía Pompilia no sosiega un minuto. El bermellón de su cara armoniza con el verde de una antiquísima bostonesa que viste; el verde de la bostonesa [16] con el azul del corpiño; el azul del corpiño con lo amarillo de la falda.

[16] *bostonesa*: no he podido hallar ninguna descripción de esta prenda femenina. No obstante, la palabra se encuentra en *Óptica del cortejo,* y don Alonso Zamora Vicente me informa también que hay una referencia a *bostonesa* en *Carta de un cortesano* de don Juan de Caldevilla Bernaldo de Quirós, aparecida en la *Gaceta de Madrid,* en abril de 1785. Azorín debía saber muy bien cómo era la prenda, porque no suele hacer referencias semejantes sin seguro conocimiento de la cuestión. En el *Glosario* aventuro una explicación.

—¡Por fin ha querido venir Inesita! —grita tía Pompilia, poniéndose delante de Doña Inés moviendo la cabeza, dando un golpecito con su muletilla en el suelo.

No hace todavía dos horas que Doña Inés está en Segovia. Tía Pompilia le había mandado ya a su sobrina tres mensajeros. Como a los diez minutos de mandar el primero no se presentara Doña Inés, ha mandado otro; cinco minutos después de mandar el segundo, ha enviado el tercero. La sala en que se hallan la tía y la sobrina es ancha, con muebles del siglo XVIII. Hay en la estancia consolas con incrustaciones de marfil, escritorios de torneadas patas, cornucopias con el alinde cegado.

—¡Estas muchachas del día! —exclama tía Pompilia.

Doña Inés, cada vez que la anciana la llama Inesita y dice refiriéndose a ella "estas muchachas del día", siente redoblarse su cariño hacia tía Pompilia.

—Ven; siéntate aquí —dice la anciana, y señala un sillón.

Pero el sillón le parece en seguida demasiado alto a tía Pompilia y manda acercar un taburete. No acerca pronto el taburete una sirvienta que siempre tiene vigilante la anciana —han pasado ya dos segundos— y tía Pompilia, indignada, dando con el bastón en el suelo, exclama:

—¡Viveza, muchacha!

Y luego:

—¿Quieres probar una conserva que hemos estado haciendo esta tarde?

Arrima tía Pompilia su bastón al sofá y comienza a tirar fuertemente del largo llamador con borlón. Suena lejos la campanilla. Está ya pedida la conserva a una criada que ha llegado; pero no la han traído todavía. ¿No hace ya una hora que la ha pedido la anciana? Se levanta tía Pompilia prestamente del sofá. Cuando va por la mitad de la sala, precipitada, en dirección a la cocina, aparece la sirvienta con una salvilla.

—¡Viveza, muchacha! —grita tía Pompilia, y le toma de las manos el plato a la criada.

—¡Qué calmosas! —exclama la anciana.

Y luego, volviéndose a Doña Inés:

—¿Has visto ya a tío Pablo? ¿Vas a subir a ver a tío Pablo?

Tío Pablo es el marido de Doña Pompilia. La dama vive en la planta baja de la casa; en el piso principal habita el caballero. Ya hace muchos años que marido y mujer viven separados. El marido no podía acomodarse con el torbellino vertiginoso de su mujer. Las entradas de las dos casas son distintas. Pasan meses enteros sin que tía Pompilia y tío Pablo se tropiecen.

—¿Vas a subir a ver a tío Pablo? —pregunta la anciana.

Y a seguida, llevándose el dedo índice a la sien y haciendo ademán de barrenar:

—¡Pobre!

Y después, barrenando más:

—¡Perdido, perdido!

XII

LOS SARAGÜETES DE TÍA POMPILIA

QUE me presten su pincel mágico —si lo tienen a bien— los cronistas de sociedad. Los jueves se celebran los saragüetes de tía Pompilia. Llegan muchachos y muchachas de la ciudad y llenan la sala. Las cornucopias no pueden reflejar —están borrosas— las caras lindas de las bellas segovianas. Las bellas segovianas, tan finas, tan inteligentes, unas son melancólicas y remisas, otras, traviesas y vivarachas. Tía Pompilia está entre el concurso con su muletilla de plata. Sonríe la anciana y ríen todos. Los muchachos están cada cual ante una aguerrida moceta,[17] de pie, erguidos, ostentando la gallardía de sus personas. Los preliminares del saragüete son bulliciosos; el decurso de la fiestecilla lo es mucho más. Tía Pompilia da golpes con su bastón en el suelo. Y va enterándose de todas las novedades ocurridas en la semana. Anima a las muchachas remisas: "¡Eh, eh, Conchita! ¡Viveza, muchacha! ¿Qué haces tan parada?" Contiene a las demasiado vehementes: "¡Isabelita, nada de rincones! ¿Aquí, aquí, en medio de la sala! A jugar con todos". Los juegos a que se refiere tía Pompilia son los de prendas.

Los juegos de prendas han sido el encanto de nuestros abuelos. En Francia la autoridad suprema en esa

[17] *moceta*: "mozeta", dice la primera edición, errata, sin duda; pero lo hago constar porque es la única errata que parece habérsele escapado al meticuloso Azorín al corregir las pruebas de imprenta. (Véase nuestra *Introducción*.)

complicada materia es madama Celenart;[18] en España el libro de esta señora lo ha traducido, con adiciones, D. Mariano de Rementería y Fica;[19] el año pasado, 1839, Don Mariano ha impreso la segunda edición del libro. Tía Pompilia tiene sobre su escritorio este precioso manual; es su libro de consulta.

—¡Vamos, vamos! —grita la anciana—. ¡Viveza, viveza!

Y comienza el juego. Los hay variados en el extenso repertorio. El juego del *vuelen, vuelen,* por ejemplo, es de los más amenos. Los mozos y mozas están ya agrupados en un corro de sillas en torno al presidente. El presidente lo es tía Pompilia. La anciana grita:

—Vuelen, vuelen los gorriones.

Todos levantan la mano y repiten lo mismo. En el aire las manos parecen pájaros que vuelan.

—Vuelen, vuelen las águilas.

Y todos repiten que vuelen las águilas.

—Vuelen, vuelen los mochuelos.

Todos vocean, levantando las manos, que vuelen los mochuelos.

18 *Madame Celnart,* y no Celenart como transcribe Azorín, figura como autora de varios libros traducidos al español en la primera mitad del siglo XIX. Tengo noticia de dos: *Manual para las señoras, o el Arte de Tocador, de Modista y Pasamanero,* traducido por M. D. O., Barcelona, M. Sauri y Compañía, 1830; y el *Manual del florista o Arte de imitar toda especie de flores naturales con papel, batista, muselina y otras telas de algodón; con gasa, tafetán, raso,* traducido por Lucio Franco de la Selva, Madrid, Imprenta Repullés, 1833. (Vid. Vicente Castañeda, *Ensayo de una bibliografía comentada de manuales de artes, ciencias, oficios, costumbres públicas y privadas de España (siglos XVI al XIX),* Madrid, 1955.)

19 Debe referirse, aunque no conste el nombre de madame Celnart como autora, a un *Manual* de Mariano Rementería y Fica que se ajusta a la descripción que ofrece Azorín; el citado *Manual,* en la edición que conocemos, tiene este largo título: *Manual completo de juegos de Sociedad o Tertulia y de Prendas.* Contiene una colección de los juegos de campo y de casa, la descripción de las montañas rusas y otras varias; juegos preparados de prendas, de chasco, de acción, charadas representadas, juegos de memoria, de ingenio, de palabras y penitencias concernientes a cada uno de ellos y modo de sentenciar las prendas; con diferentes juegos de Niños y de Naipes. Última edición corregida y aumentada. Madrid, Imprenta de Norberto Llorencí, 1852, 382 págs., en 8.º

—Vuelen, vuelen los carneros —dice precipitadamente tía Pompilia.

Y dos, tres, cuatro de los concurrentes, mientras los demás callan y permanecen quietos, vocean sin darse cuenta:

—Vuelen, vuelen los carneros.

Se produce una estrepitosa confusión. Todos ríen a carcajadas.

Los que han faltado pagan prenda; y cuando se ha jugado a otros muchos juegos y hay muchas prendas disponibles, llega la hora de sentenciarlas; ésta es seguramente la parte más agradable del saragüete. Muchos son los juegos de prendas. ¿Hablaré del concierto grotesco, de la colección de estatuas animadas, del león enfermo, del jardín de mi tía, del tocador y del alfabeto? Nuestros abuelos se han divertido con estos juegos. Los juegos de prendas son prósperos al himeneo. Casi todas las bodas que se celebran en Segovia salen de los saragüetes de tía Pompilia. A media tarde se sirve una merienda, y luego se baila.

La anciana vocea:

—¡Eh Conchita, nada de rincones!... ¡Andrés, las manos quietas!... ¡Tú, Adelita, más alegría! ¡Viveza, viveza, muchachas!

Y tía Pompilia, con las mejillas rubescentes y con su antiquísima bostonesa, va presta de un lado para otro dando golpecitos con su bastón.

XIII

TÍA POMPILIA Y EL PIANOFORTE

TODOS los jueves los concurrentes a los saragüetes de tía Pompilia se han de detener un momento, al entrar, contemplando el nuevo orden de los muebles.

—¿Qué os parece? —pregunta sonriendo la anciana.

De un jueves para otro los muebles de la sala han sido cambiados. Desaparecen consolas, sillones, canapés, cuadros. Sólo quedan insustituibles las cornucopias con un azogue apagado. Tía Pompilia no puede permanecer quieta. Nada a su alrededor ha de estar inmutable. Los muebles sufren un zarandeo continuo de sala a sala; marchan por los corredores; se ladean violentamente para entrar por las puertas angostas; se les desconchan los chapeados y se les tuercen las patas. Durante la semana el trasiego de cachivaches y trastos ocupa a tía Pompilia. No sale la señora de casa. Aquí vienen a cuchichear a su oído todo cuanto ocurre en Segovia. Rara vez se aventura fuera de la sala y de la casa la anciana. Lejos de Segovia ha estado pocas veces. En 1793, hace cuarenta y siete años, estuvo tres días en Madrid. Todo lo recorrió y lo vio en tan breve tiempo: vio una compañía de bailarines de cuerda y de volteadores valencianos en el teatro de la Cruz; [20] asistió a la representación de la ópera *La venganza de*

[20] *Teatro de la Cruz*: con el nombre de Corral de la Cruz se inauguró el 16 de septiembre de 1554; estaba situado en la calle de este nombre. Fue convertido en coliseo cerrado en 1743, y su reforma fue obra del arquitecto Pedro de Ribera,

Nino; [21] estuvo en la Santa Bóveda de la Iglesia de San Ginés; [22] presenció en el Buen Retiro una ascensión en globo del capitán napolitano D. Vicente Lunardi; [23]

---

quien diseñó y realizó una bella fachada barroca. El 24 de enero de 1806 se estrenó en él *El sí de las niñas,* de Leandro Fernández de Moratín. En 1849 cambió su nombre por el de Teatro del Drama; en 1851 recobró su primitivo nombre y en 1860 fue demolido. (Cf. Federico Carlos Sáinz de Robles. *Los antiguos teatros de Madrid,* Madrid, Instituto de Estudios Madrileños, 1952). Todo cuanto sigue es una fidelísima relación de lugares, diversiones, curiosidades, noticias y hasta compras, que podían interesar a una dama de provincias que visitara Madrid en la última década del siglo XVIII. Además, responde a una fidelidad y exactitud extraordinarias, por ejemplo: bailarines de cuerda y volteadores valencianos trabajaban en los teatros de la Cruz y del Príncipe, en sesiones especiales; esta diversión era muy apreciada por los madrileños de entonces. (Cf. el magnífico libro del profesor René Andioc, *Sur la querelle du theatre au temps de Leandro Fernández de Moratín,* Tarbes, 1970, pp. 90-93, especialmente

21 *Semíramis o la Venganza de Nino*: Fue, en efecto, pieza de repertorio del teatro de la Cruz. Existen numerosas obras teatrales y musicales (óperas, sobre todo) con el título de *Semíramis.* Las de Cristóbal de Virués, *La gran Semíramis* (1609), y *La hija del aire,* de Calderón de la Barca, son en España las más famosas sobre este tema. Como obra musical, la primera en celebridad fue el melodrama *Semiramide,* en tres actos, de Pietro Metastasio, escrito en 1729 y musicado por Vinci. Casi un centenar de músicos, entre ellos Vivaldi, Gluck, Meyerbeer y Gioacchino Rossini, han compuesto diferentes óperas con el mismo título. *La venganza de Nino,* mencionada por Azorín, tenía música de Bianchi, y el libreto fue traducido al español hacia 1800, por Rodríguez de Arellano, cuando se prohibió cantar en italiano en los teatros españoles.

22 *Iglesia de San Ginés*: Situada en la calle del Arenal tiene la famosa capilla del Cristo, casi iglesia independiente, con una congregación (la Congregación del Cristo) que desde muy antiguo, y por sus cofrades, practica muy ascéticos ejercicios de penitencia, trisemanales. Estas funciones penitenciales se hicieron muy famosas en el siglo XVIII: hasta doscientas personas, y a veces más, se disciplinaban en la cripta, en plena obscuridad al compás de cantos litúrgicos y del restallar de disciplinas y vergajos que maceraban y salpicaban de sangre las espaldas de los penitentes. No faltaron por entonces comentarios maliciosos en los que se afirmaba que no todo lo que ocurría en la cripta era del género ascético y penitencial.

23 *Don Vicente Lunardi*: En el Museo del Prado hay un cuadro pintado por Antonio Carnicero, *Ascensión de un globo montgolfier en Madrid* (n.º 641 del Catálogo) que hasta 1945 se suponía que fuese la ascensión de Vicente Lunardi en el Retiro, el 12 de agosto de 1792. El profesor Andioc (*Sur la querelle du theatre au temps de Leandro Fernández de Moratín,*

examinó el modelo en madera que delineó y dirigió el abate don Felipe Juvara[24] para edificar el Palacio, y que se exponía en el taller que se halla debajo del arco que comunica al jardín de la Botica real; vio también el modelo del puerto y ciudad de Cádiz, que estaba en el Buen Retiro; contempló las pinturas de la iglesia del convento de San Pascual[25] y la colección de cuadros de don Bernardo de Iriarte,[26] en la calle de la Cruzada, y el Cristo de Velázquez en la sacristía del convento de San Plácido;[27] estuvo a ver relojes

---

ya citado) atribuye la hazaña a don Agustín de Betancourt, ingeniero amigo de Leandro Fernández de Moratín, que se elevó en globo en la propiedad del infante don Gabriel, el mes de noviembre de 1783.

24 *Don Felipe Juvara,* y no *Jicharra,* como aparece en la primera edición de *Doña Inés* y copian, sin corregir, todas las siguientes. El abate italiano Juvara trabajaba en Milán cuando fue llamado a España por Felipe V. Se le encargó el proyecto de construcción del Palacio Real; lo hizo vastísimo, con alzado en que predominaba la línea horizontal al modo de Versalles, y con detalles de ornamentación italiana. Juvara murió en 1736, y sus planos para la construcción del Palacio fueron sustituidos por los de otro italiano, Sacchetti, su discípulo. El modelo en madera del Palacio Real "que costó un capital en tiempo de Felipe V, que se guardó singularmente en los reinados sucesivos, que estuvo expuesto bajo Isabel II, en Galería pública, ... se vendió poco después por un Museo público como madera vieja para el Rastro...", dice don Elías Tormo en *Las iglesias del antiguo Madrid.* Madrid, 1927. (Hay nueva edición del libro, Madrid, Instituto de España, 1972.) En cuanto al *modelo del puerto y ciudad de Cádiz,* no he podido averiguar dónde se encuentra hoy; pero estará en alguna parte, si no ha sido destruido como el del Palacio Real. En estas referencias Azorín solía estar muy bien informado.

25 *San Pascual*: en el antiguo paseo de Recoletos (hoy de Calvo Sotelo), cerca de la Plaza de la Cibeles. Fundó este convento en 1683 el Almirante de Castilla, duque de Medina de Rioseco. Cuando en el siglo XIX suprimieron los conventos, fue enajenado y convertido en almacén de maderas, más tarde fue derribado. Se reedificó hacia 1860.

26 *Bernardo de Iriarte*: hermano de Tomás de Iriarte. Desempeñó cargos diplomáticos en el extranjero (secretaría de la legación de Parma y Secretario de la embajada española en Londres). Formó una galería de arte, propiedad personal, que llegó a ser renombrada en Europa.

27 *San Plácido*: situado en la calle de San Roque, esquina a Pez. "Es todavía el más bello y auténtico [templo] que se conserva en Madrid del arte del tercer cuarto del siglo XVII", dice don Elías Tormo en *Las iglesias del antiguo Madrid.* En

en la Real fábrica, establecida en la calle Alta de Fuencarral; compró, en fin, un pianoforte, a imitación de los mejores que se hacen en Inglaterra, en una tienda de la calle de San Andrés, esquina a la calle de la Paloma.

—Este mismo —dice tía Pompilia—; este mismo pianoforte.

Y se sienta ante el piano, teclea un poco y comienza a cantar:

Mi è in mente ognor viva
M'accresce il desio
M'adoppia il dolor.

De pronto se interrumpe y dice:

—¿Has visto tú, Inesita, *Los Puritanos y los Caballeros*? ¿Se los has oído cantar a Antonio García y a Santarelli y a Morandi? ¿Has visto qué bien hace Adelaida Ghedini el papel de Enriqueta de Francia? ¿Y Clementina Fanti el papel de Elvira? Aquí, en Segovia, estuvo la compañía el año pasado.[28]

---

los primeros años de fundación tuvo lugar en su monasterio de monjas benedictinas una discutidísima historia de la que fueron protagonistas el confesor y director espiritual de la comunidad, la priora, doña Teresa Valle de la Cerda y Alvarado, y todas las demás monjitas del monasterio; en la intriga intervinieron también el Conde-Duque y el propio rey Felipe IV. Don Gregorio Marañón trató de todo ello en dos de sus famosos libros: *Don Juan* y *El Conde-Duque de Olivares o la pasión de mandar*. El Cristo de Velázquez, que estaba en la sacristía de San Plácido, se encuentra hoy en el Museo del Prado.

[28] *Los puritanos y los caballeros*: ópera de Vincenzo Bellini (1801-1835), con libreto de Carlo Pepoli. Fue estrenada en París en 1835, año de la muerte de su autor. Está inspirada en una novela de Walter Scott, titulada *Vieja mortalidad* (1816). La acción de *Los puritanos* se desarrolla en la Inglaterra de Cromwell. Elvira, hija del puritano Lord Valton va a casarse con Arturo Talbo, partidario de los Estuardos. Talbo ayuda a huir, y acompaña en la huida, a Enriqueta de Inglaterra, viuda de Carlos I, el rey decapitado por los partidarios de Cromwell. Elvira, creyéndose abandonada por su prometido, enloquece. Regresa Arturo de incógnito; se entrevista con Elvira a quien tranquiliza y hace recobrar la razón. Arturo es descubierto por los puritanos quienes se disponen a ejecutarlo, cuando llega la

Y otra vez tecleando:

Bel sogno beato,
D'amore e contento
O cangia il mio fato,
O cangia il mio cor.

De nuevo se interrumpe:

—Esto quien lo canta deliciosamente es Diego el de Garcillán. Diego el de Garcillán es un portento; es nuestro poeta. ¿Te han hablado ya de Diego el de Garcillán? Ya conocerás a Diego.

Inés escucha en silencio. La anciana vuelve a canturrear:

Oh! come è tormento
Nel di del dolore
La dolce memoria
D'un tenero amor.

Las viejas cornucopias, con un azogue borroso ahora, han reflejado antes las pelucas del siglo XVIII. La voz de la anciana rememora figuras evanescidas en lo pretérito. Doña Inés escucha la música de Bellini y piensa en cosas que ya no volverán. La traducción que acompaña al viejo libreto dice: "Siempre tengo a la vista tan agradables recuerdos, y cada vez aumentan más y más mi penar. ¡Oh sueños felices de amor y contento! Haced se cambie mi destino adverso o mudad mi corazón. ¡Cuánto atormenta a un alma apasionada el recordar en días de amargura dulces memorias de un tierno amor!"

---

noticia del perdón concedido por Cromwell, vencedor absoluto de los Estuardos, que se muestra magnánimo con el joven caballero.

XIV

TÍO PABLO

SIEMPRE está un poco cansado Don Pablo. El caballero se nos aparece alto y recio; en algunos momentos, de pie, erguido, con la mano puesta en la abertura de la levita, semeja un doctrinario francés.[29] Y esos momentos serían los adecuados para que hiciese su retrato un pintor genial y desconocido. Y ese retrato sería el más a propósito también —todos los días sucede— para ser encontrado con sorpresa y admiración en un desván. El sano color rosado de la cara, cuidadosamente afeitada, resalta sobre la nitidez de la camisa. La pechera blanquea en la negrura de la levita. La corbata de seda negra da dos vueltas al cuello. La guarnición o chorrera de la camisa es de muselina escarolada. Sobre lo negro de la corbata, a los dos lados de la faz sonrosada, se ven dos ampos de nieve; los puntitos enhiestos y agudos de la tirilla. El rostro del caballero denota bondad; pero en la comisura de los labios, en el ángulo de la boca, se marcan dos ligeras arrugas que indican desdén. Desdén tal vez por muchas cosas

[29] *semeja un doctrinario francés*: El *Diccionario* de la R.A.E. ofrece esta definición para *doctrinario*: "Dícese del que, siguiendo la doctrina de los filósofos eclécticos y de los publicistas franceses de principios del siglo XIX, hace radicar en la inteligencia humana el principio de la soberanía, y aplica fórmulas abstractas y a priori a la gobernación de los pueblos". Nada dice la Real Academia Española, claro está, del aspecto exterior, compostura y posturas típicas de los doctrinarios. Supongo que Azorín, como en tantos otros textos suyos, se inspira en algún retrato.

preciadas de otros hombres y que él no estima; desdén quizás a causa de la ingratitud del amigo y de la inconsciencia de la muchedumbre. Los ojos de tío Pablo, a pesar del íntimo desdén, miran con indulgencia. Cuando el caballero se levanta por la mañana, se siente un poco fatigado. Ha dormido dulcemente y, sin embargo, le cuesta ahora trabajo decidirse a tomar la pluma o a iniciar y mantener una conversación indispensable sobre los asuntos de la casa. Comienza a trabajar y el cansancio va desapareciendo. Una impresión viva —la charla con un amigo o unas frases escritas con elegancia— dan a sus nervios, de pronto, gratísima tonicidad. Discurren las horas; el tráfago por la casa o por la ciudad lleva y trae a Don Pablo. Otra vez, repentinamente, se siente abatido el caballero. Y en tanto que la comisura de los labios marca ligero desdén, los ojos miran con íntima y profunda bondad.

No puede ver don Pablo los muebles en distinto lugar del que están ocupando durante años, ni un centímetro más allá ni un centímetro más acá. Los papelitos y tamos del suelo los recoge con cuidado el caballero. El silencio ha de ser profundo en la casa; en el silencio le place a tío Pablo escuchar el sonoro tic-tac del reloj. Su ropa es limpia. El mantel de la mesa del comedor ha de ser nítido; sobre el mantel han de rebrillar la porcelana, el vidrio y la plata. Una hora antes de las comidas bebe Don Pablo un vaso de agua delgada y fresca. No le interesan los lances y episodios de las guerras; en los libros y en los periódicos los pasa por alto. El hecho más saliente en su vida es el de haber leído en Roma, durante un crepúsculo vespertino, en el Coliseo, cuatro o seis páginas de un libro de *Pensamientos,* de Leonardo de Vinci. De los autores españoles el que más admira es Cervantes; Sterne, de los ingleses, y Goethe, de los alemanes. Al tratarse de los franceses, Don Pablo duda entre Montaigne y Pascal; por los dos siente profunda simpatía. Y si quiere a Pascal, contradictor de Montaigne, se debe al desequilibrio doloroso de tal escritor. Ese desequilibrio es, en parte, el mismo de Don Pablo; él lo reconoce sinceramente. No puede trabajar casi el caballero; necesita para trabajar tomar mil precauciones. Se siente profundamente cansado. Con la mano derecha puesta en la abertura de la levita y la izquierda posada en el respaldo de una silla, Don Pablo, de pie, enhiesto, se ha detenido un instante en su biblioteca, respirando con fatiga y recobrándose de su cansancio. [30]

[30] Las predilecciones literarias de Don Pablo son las mismas que las de su creador Azorín. Unánimemente los críticos han reconocido en Don Pablo la contrafigura de Azorín, semejante a él en gustos, actitudes y en carácter.

XV

TÍO PABLO Y LAS COSAS

DOÑA Inés ha subido a ver a tío Pablo. Cuando Don Pablo de Silva ha visto entrar a su sobrina, se ha puesto en pie ceremoniosamente y ha avanzado dos pasos. Su mirada estaba fija en el rostro de la dama. El rostro de Doña Inés ha cambiado un poco desde que tío Pablo la viera por última vez hace tiempo. Profunda emoción embargaba al caballero. De pie, sereno, trataba de dominar su íntimo desasosiego. Acontece que, de pronto, en la calle o en un viaje, vemos una cara que hace años no veíamos y que teníamos olvidada. En un instante, ante el cambio, ante la transformación de las facciones, percibimos como cristalizado el tiempo. Don Pablo ha recibido a Inés en la biblioteca. Todo está en silencio. No hay nada en desorden. Don Pablo se hallaba junto al balcón leyendo. Sonríe a Inés y retiene entre sus manos un rato la mano de la dama.

—Querida Inés —le dice tío Pablo a su sobrina—; yo soy viejo; tú eres joven...

Doña Inés, como antes le ocurriera con tía Pompilia, siente ahora un profundo cariño por tío Pablo. El tiempo transcurre. Lo que más ama el caballero es su sosiego. Desea vivir hora por hora, minuto por minuto, en una serenidad inalterable. Huye las emociones; no es egoísta. Da con largueza —y silenciosamente— al menesteroso. Ansía sólo, a cambio de esta generosidad suya, que nadie rompa su paz interior. No podría gozar de la naturaleza, del silencio, de la luz, de las formas, de un crepúsculo, de un mediodía esplendoroso, sin esta perfecta adecuación del espíritu a las cosas. Necesita la calma que le permita entrar en comunicación efusiva y silenciosa con la realidad ambiente. Una sacudida violenta de los nervios o una emoción intensa hacen que el interés se polarice de pronto hacia otra parte. Cesa la secreta continuidad en la fruición. Después, pasada la emoción advenediza, será preciso reanudar la comunicación con las cosas. El goce dulce y apacible ha desaparecido. La sequedad espiritual durará un tiempo más o menos largo. Por más esfuerzos que haga el caballero, por más meditaciones que se imponga, por más concentración que se procure, sólo el tiempo, el transcurso de las horas, la acción aplacadora de los días, harán que el estado de beatitud torne al contemplador.

—Querida Inés —dice tío Pablo—, te vas a aburrir en Segovia. Yo vivo entre mis libros. La vida intelectual aquí es escasa. Tenemos, sin embargo, un poeta. ¿Has oído ya hablar de Diego el de Garcillán? Diego el de Garcillán es un mozo notable. Ya lo conocerás. Yo soy viejo, Inés; tú eres joven.

La emoción iba a entrar en el espíritu del caballero; mientras tiene tío Pablo cogida entre sus manos la mano de Inés y contempla el cambio operado en el rostro de la dama, hace esfuerzos para dominarse. Cuando Inés salga de la estancia, tío Pablo podrá volver a su trabajo. Serenamente podrá seguir gozando de las cosas. Las cosas no son a todas horas las mismas. La luz las hace cambiar a cada momento. Ya el verano ha sucedido a la primavera. A lo largo de las estaciones, mes por mes, día por día, hora por hora, Don Pablo va advirtiendo los cambios en la luz, en el color y en las formas. La soledad le es necesaria. Paulatinamente el caballero va extremando su retiro. Sin el apartamiento del mundo, Don Pablo no podría trabajar. Ha publicado Don Pablo una original y pintoresca Historia de Segovia, que él titula modestamente

Adiciones a Colmenares; [31] tiene esparcidos por las revistas notas y trabajos diversos, y prepara en la actualidad un libro sobre un personaje ilustre de su propia familia. La soledad le es necesaria para la meditación. Y las cosas, en la soledad, han acabado por adueñarse del caballero. Don Pablo advierte a veces la monotonía de su vivir. En esos momentos intenta reaccionar. La vida es algo más que meditación y goce suave de las cosas. Don Pablo quisiera gustar el goce violento de la acción. Hace esfuerzos entonces por salir del círculo en que se halla encerrado y se arroja bruscamente a la vorágine del trato humano en la política y en los negocios. Y a poco se percata con inquietud de que no puede pensar; el pensamiento ha huido de su cerebro; su íntima personalidad se halla ausente; un bello crepúsculo pasa para él inadvertido; la luz, con sus variadas y finas gradaciones, no le hace sentir; los paisajes más hermosos le dejan insensible; la inquietud se convierte en pavor; experimenta una profunda repugnancia hacia sí mismo. Y de pronto rompe todas las ligaduras que se había fabricado; se desliga de todo lo que lo rodea; da un tajo a todos los emprendidos tratos y negocios y torna a su soledad y a su silencio.

[31] Diego de Colmenares es el historiador clásico, siglo XVII, de Segovia. El erudito Don Pablo ha publicado esas *adiciones* a la *Historia de la insigne ciudad de Segovia,* cuya segunda edición —Madrid, Diego Díez, 1640— tiene un índice con la historia y obras de los escritores segovianos.

XVI

TÍO PABLO Y EL TIEMPO

UN íntimo desasosiego conturba a Don Pablo. El sentido del tiempo, hora por hora, minuto por minuto, le ha llevado paulatinamente a adelantarse al tiempo. No se puede perdurar en la percepción de la hora, del minuto y del segundo sin acabar por tener la visión total del tiempo. Del pasado venimos al presente; del presente habremos de caminar hacia lo por venir. Un día, Don Pablo, hallándose en su biblioteca arreglando unos libros, tropezó con una biografía de Hoffmann.[32] De pie comenzó a leer algunas páginas; media hora

[32] Ernest Theodor Amadeus Hoffmann (1776-1822). Director de orquesta, compositor de óperas, director de teatro y autor de obras literarias. Famoso por sus *Cuentos fantásticos*. Tuvo en Francia un éxito extraordinario; la primera traducción francesa de sus obras fue la de Loeve Veimars, quien las publicó en veinte volúmenes (París, 1829-1833). En España tradujo sus *Cuentos fantásticos* don Cayetano Cortés, Madrid, Yenes, 1839, 2 vols. en 8.º mayor. (Cf. Scheider, "Hoffmann en España" en *Homenaje a Bonilla*. Madrid, 1927, I, p. 279 y sig.) El profesor Clavería en su estudio "Sobre el tema del tiempo en Azorín" (véase *Bibliografía Selecta,* en esta edición), supone que Azorín leyó a Hoffmann en ediciones francesas, y le parece de difícil confirmación que utilizara traducciones españolas. No conociendo la biblioteca particular de Azorín y sin otra evidencia, es imposible esta confirmación, por supuesto, pero me inclino a creer que *sí utilizó* tales versiones españolas, lo que no empece para que conociera las traducciones de Hoffmann al francés. Mi creencia sobre el particular se basa en el hecho de que Azorín conocía de primera mano los libros que citaba y, sobre todo, esta época de *Doña Inés* la documentó a través de obras publicadas en España.

después aún se hallaba en el mismo sitio con el libro en la mano. Su faz revelaba profunda atención.

La lectura que aquel día hizo Don Pablo en su biblioteca había de influir decisivamente en su vida. Todo un estado de conciencia oculto, latente, había de mostrársele. Don Pablo vivía tanto en lo pasado como en el presente. Poseía una prodigiosa memoria de sensaciones; su arte de escritor encontraba su mayor fuerza en esa singular rememoración. Estados espirituales remotos vivían con autenticidad en la subconsciencia de Don Pablo. No podían ser evocados a voluntad, como evocamos a nuestro talante los paisajes y la música. De pronto, inesperadamente, una voz, un ruido, un incidente cualquiera, le hacían experimentar al caballero, con prodigiosa exactitud, con exactitud angustiadora, la misma sensación que quince, veinte o treinta años antes había experimentado. Esta memoria de las sensaciones era para él tan dolorosa como la visión anticipada y fatal de un porvenir posible. El cuentista alemán Hoffmann padecía el achaque de ver en el momento presente el desenvolvimiento de lo futuro. Cuando realizaba un acto, su imaginación le representaba inmediatamente las posibles desgraciadas contingencias del hecho. En la enfermedad leve veía ya la muerte; en el quebranto pasajero, el desastre pavoroso. No podía gozar de la felicidad presente; el pensamiento de que la dicha habría de concluir le empañaba el goce. La lectura de la biografía de Hoffmann hizo aflorar en la conciencia de Don Pablo lo que estaba latente en lo profundo. Con ansiedad iba pasando las páginas del libro. Y ya desde aquel día el mal oculto fue ostensible. El mismo caballero sonreía de sus preocupaciones. A la manera que algunas enfermedades llevan el nombre de los investigadores que las han descubierto —como el mal de Bright o el mal de Pott—, [33] él lla-

[33] *mal de Bright*: fue su descubridor el médico inglés Ricardo Bright (1789-1858). El mal que lleva su nombre es la nefrosis, o degeneración del tejido renal. *Mal de Pott*: Percival Pott, médico inglés (1714-1788), estudió durante varios años la tuberculosis vertebral, enfermedad que lleva su nombre.

maba a su achaque *el mal de Hoffmann.* Sonreía Don Pablo; pero agudamente, dolorosamente, advertía su dolencia. En lo presente veía lo futuro. En el niño enfermo —amaba apasionadamente a los niños— veía el niño expirante. En la leve alteración de la amistad, presagiaba ya la agria y truculenta ruptura. Un pormenor en la civilidad diaria por él olvidado, le torturaba durante días; inevitablemente imaginaba las complicaciones y disgustos que de aquella inadvertencia iban a provenir. Sonreía el caballero; trataba de burlarse entre sí del mal de Hoffmann, pero no podía; solapado, insidioso, el mal roía su corazón.[33 bis]

[33 bis] La referencia a la *memoria de las sensaciones* sugiere de inmediato el nombre de Marcel Proust y el famoso episodio de la magdalena inserto en *Du côté de chez Swann,* primer volumen de *A la recherche du temps perdu* (una magdalena mojada en una taza de té desencadena en el protagonista adulto el recuerdo vívido —sensorial— de los días felices de su infancia). No obstante, Azorín silencia la cita obligada, porque *Doña Inés* simula estar escrita en la década de los años cuarenta del siglo XIX (1840-1848) y los dos primeros volúmenes de *A la recherche du temps perdu* aparecieron en 1913. Por otra parte, en Proust la vivencia del pasado suscitada por la memoria sensorial, es placentera y le sirve para apreciar el presente y en cierto modo justificarlo; por el contrario, el mal de Hoffmann que angustia a Don Pablo es una especie de sentimiento trágico de la vida. Vid. Humberto Piñera, *Novela y ensayo de Azorín.* Madrid, 1971.

XVII

LA MAÑANA EN LA CASA

EN la negrura, las estrellas de luz coloreada van a concluir de quemar ya sus bengalas rojas, azules y verdes. Desaparecerán en breve. Expira la noche. ¿Dónde irán a amontonarse todos estos inmensos velos negros de la decoración nocturna? La luz de las estrellas coloreadas iluminará otros mundos de rojo, de azul y de verde. El terror sobrecogería a los moradores de esos mundos si se vieran de pronto iluminados por nuestra bella luz blanca. La noche acaba. En el oriente van a palidecer los Astillejos. Parecen en su inquieto rutilar bolitas de agua viva. Todavía es noche oscura. El huelgo frío de la madrugada ha comenzado a dejarse sentir. La inmensa y menuda orquesta de los grillos, terminado ya el concierto diario, ha bajado sus élitros como se baja la tapa de un piano.[34] Son densas las tinieblas todavía; pero la línea del horizonte es como la raya de un doblez negro un poco descolorido. La debilísima claridad va aumentando. Dentro de poco los dedos de la aurora van a descorrer la cortina de la mañana. Pasan los minutos. Ya el sol naciente envuelve en papel dorado las chimeneas blancas, y el céfiro blando remece ledo las menudas hojas de los álamos.

34 La frase recuerda sorprendentemente algunas de las *greguerías* de Ramón Gómez de la Serna, que desde 1910 (en la revista *Prometeo*) comenzó a publicar. El éxito de las *greguerías* de Ramón, incitó a la Academia Española a insertar en el *Diccionario* su definición, como segunda acepción de la pala-

A primera hora de la mañana baja Plácida de su cuarto. Plácida es hija de unos labradores de Garcillán; los padres de Doña Inés los favorecieron en su tiempo; Plácida vivió cuando niña en la casa de Segovia con Doña Inés. No ha querido vivir de asiento en Madrid. Ha venido ahora a la ciudad para asistir a Doña Inés. Cuando la moza baja de su cuarto, ya Matías el pastor ha abierto la puerta del jardín. Matías el pastor se acuesta en el zaguán; su lecho es un jergón henchido de albardín. En el zaguán queda uno de los mastines que ha traído de la majada el pastor. Otro ronda por el patio. El primer cuidado de Plácida es visitar el huerto; con unas tijeras va cortando rosas, claveles, mosquetas, jazmines. Forma con las flores un ramo que ha de ser puesto en el zaguán. Ya las abejas —que han venido caballeras en el primer rayo del sol— suenan su persistente bordoneo. Los cetonios dorados —*cetonia aurata*—, los cetonios de las rosas están entre los pistilos de la flor, todavía arrecidos por el frío de la madrugada; necesitarán el bochorno del pleno sol para desperezarse.

Plácida pone en movimiento a la servidumbre y dirige la limpieza de la casa. La mañana va avanzando. Doña Inés se ha levantado ya. En la ciudad ha comenzado el tráfago de todos los días. El correo ha llegado la noche anterior. Llega de Madrid los domingos, jueves y viernes. Por la mañana, al día siguiente, se reparten las cartas. Los sellos de lacre rojo o negro resaltan en los sobres estrechos y largos.[35] Resuenan en la calle los gritos de los vendedores. Van pasando el deshollinador, el lañador, que compone barreños y tinajas; el

---

bra: "Agudeza, imagen en prosa que presenta una visión personal y sorprendente de algún aspecto de la realidad y que ha sido lanzada y así denominada caprichosamente hacia 1912 por el escritor Ramón Gómez de la Serna". No "hacia 1912", sino en 1910, según confesión del propio autor, se publicaron las primeras *greguerías*, como se ha indicado al comienzo de esta nota. En *Doña Inés*, volviendo a Azorín, puede hallar el lector otras frases con imágenes y humor semejantes a las *greguerías*.

[35] Véanse notas 6 y 7, de esta edición.

vendedor de azafrán de la Mancha; el vendedor de velones y capuchinas de Lucena; "el pañero barato", que, con su carro atestado de fardos, va de pueblo en pueblo; el comprador de galones de oro y plata. El vendedor de rehilanderas para los niños pasa también con su pértiga llena de molinitos de colores. Y no deja tampoco de anunciarse el vendedor de carruchas o atacaderas de madera, que todavía, en 1840, se usan en los pueblos de Castilla; vendedor que hace sonar unos cascabeles y grita:

¡Carruchicas, carruchones,
Carruchicas pa los calzones!

Las horas transcurren lentas. El coche está siempre dispuesto para partir. En la monotonía de las viejas ciudades, esta seguridad de poder marcharnos en el acto, nos hace prolongar nuestra estancia y experimentar un agridulce regodeo en el tedio. De tarde en tarde aparece encuadrado en el postigo de la puerta principal, sobre el fondo vivo de sol de la calle, una figura con sombrero de copa. El caballero penetra en el zaguán sumido en la penumbra, y da unas palmadas para llamar. A las doce suenan las campanadas del Ángelus. El ancho comedor de la casa se abre rara vez. La mesa es aparada, si el tiempo es bueno, en un cenador del jardín. Por los claros de la arboleda se divisa sobre el azul la torre de la catedral. A lo largo de los siglos, desde la remota antigüedad, el esfuerzo y la inteligencia de los hombres han ido creando en Segovia el Acueducto, la catedral, el Alcázar, otros muchos bellos edificios. Siglo tras siglo, lentamente, un denso ambiente de espiritualidad y de belleza se ha ido formando. Y semeja que toda esa tradición, toda esa atmósfera de inteligencia, todo ese ambiente de sensibilidad refinada, se reconcentran durante este minuto de cielo radiante, sereno, en el breve término del nítido mantel, sobre el que se mueven unas manos finas y purpurean las rosas.

En una sala clara del piso principal, Doña Inés permanece inmóvil durante una hora, con breves descansos, ante el retratista. Cap. XXXVI

Dama desconocida. Pedro Borrell del Caso
Fotografía Domínguez García

En la visión que el viajero se forma en Segovia, rebullen en caos magnífico todos los monumentos de la ciudad. Cap. XXV

El Alcázar de Segovia. Ignacio Zuloaga

XVIII

MATÍAS EL PASTOR

MATÍAS el pastor estaba en la majada. Cuando ha venido a Segovia la señora, le han mandado un recado. Ha venido Matías a la ciudad y ha traído sus dos perros. A uno le llaman Barcino y a otro le dicen Luciente. El uno es de color bermejo y el otro es de color blanco. El tesoro que tiene Matías es su maravilloso cayado. Les tira con su cayado a las liebres que corren y las deja tronzadas. A las aves del campo no les hace nada Matías. Las aves del campo le miran confiadas. Las alimañas del monte temen sus tretas. Por la luz sabe el pastor durante el día la hora. Las estrellas que cuajan el cielo se la dicen de noche. Cuando salen los murciélagos sale la estrella miguera. El lucero de la tarde es amigo de los pastores. Le contemplan con tristeza los que penan del corazón. —Lucero que brillas tanto, dime dónde está mi amor—. La noticia que tú quieres se la llevó un rondador. —Lucero, dile que venga; sin ella no vivo yo—. Está presa en una torre; no le deja su señor. —Los panales de las abejas montaraces sabe Matías dónde están. Las virtudes de las hierbas medicinales las conoce Matías. En una barrancada ha descubierto el pastor una fuente milagrosa. A los dolientes que tienen la cara pajiza, torna sus aguas recios y colorados. Las raposítas de la montaña recelan de Matías. Con su navaja cachicuerna ha labrado el pastor la cabeza de una raposa en su cayado. El refrán dice que "mucho sabe la raposa, pero más sabe el que la toma". Atrapar raposas con armadijo lo hace un bausán. Lo hazañoso sería tomarlas con la mano. El pastor ha jurado coger con la mano una raposa. Ha trabajado mucho Matías para cogerla y no lo ha conseguido. Una vez puso la mano en el cerro a una raposita, y la raposita le encentó un dedo de un mordisco, y salió escapada. Los zagales y los hateros se ríen de Matías. Matías se pone furioso. Cuando vuelva de Segovia dice el pastor que ha de cumplir su juramento. Si no puede cumplirlo, le regalará su cayado a un zagal. El cayado de Matías es maravilloso; pero no puede obrar maravillas si no es con el ojo y el brazo de Matías. El pastor se ha marchado a Segovia. Con Matías se han ido sus dos mastines. A uno le llaman Barcino; a otro le dicen Luciente. El uno es de color bermejo; el otro es de color blanco.

XIX

DIEGO EL DE GARCILLÁN

DIEGO Lodares, llamado Diego el de Garcillán, ha nacido en el pueblecito indicado. Garcillán es villa; pertenece al partido judicial de Segovia. Cuenta con 461 habitantes. Los padres de Diego vivían de la arriería. Los segovianos han sido grandes trajineros. "Además de la labranza y la ganadería se dedican bastante a trajineros los de tierra de Segovia —escribe un autor, Don Fermín Caballero, en 1844—[36] y son bien conocidos en todas partes por sus machos y albardas colosales, por sus coletos y monteras". Cuando el niño tenía doce años, sus padres se marcharon a Buenos Aires. En Garcillán, Diego ayudaba en las faenas del trajín a sus padres: iba y venía por los caminos; paraba en las posadas y en las ventas. Desde el comienzo de su vida, los ojos del niño percibían la inquietud humana. Diego era ensimismado; hablaba poco; detrás de las largas recuas o montado en un macho, el niño caminaba pensativo. Y en las plazas de los pueblos, cuando un ciego cantaba romances, o contaba crímenes, o refería historias de amores, él se detenía ansioso, y con los codos empujando a un lado y otro, los ojos brilladores, se abría camino hasta el centro del corro.

[36] *Fermín Caballero* (1800-1876). Fue alcalde de Madrid en 1840, en cuyo año publicó unas *Noticias topográfico-estadísticas* sobre la capital de España. Apasionado por la geografía y la agricultura escribió numerosas obras y opúsculos sobre temas de Geografía, Agricultura, Botánica y Estadística de poblaciones españolas y levantó planos topográficos de varias de ellas.

Los padres de Diego no hicieron fortuna en la Argentina. El niño leía en vez de trabajar. Todos los papeles que caían en sus manos eran leídos ávidamente por él. En la Pampa, ante las estancias, suele haber algún frondoso árbol. El árbol más frecuente es el ombú. El árbol que estaba frente a la estancia en que trabajaban los padres de Diego era un ombú. La estancia se llamaba, por la hermosura del ejemplar, la *Casa del Ombú*. El ombú ha ido desde el suelo africano hasta la Argentina; su emigración es un misterio. El ombú simboliza la tradición poética y sentimental del gaucho; es un árbol venerable y sagrado. Toda su vida conservará Diego en su espíritu la imagen bienhechora de este ombú. El niño se guarecía bajo el remaje espeso del árbol, y en tanto que el cielo esplendía arriba y que allá en la inmensidad remota, sin montañas, se veía el cielo juntarse con la tierra, él, olvidado dichosamente de todos, permanecía con un libro en la mano. Los padres de Diego murieron. Como al morir los padres un compatriota que regresaba a España le ofreciera traerle, Diego aceptó y se vio otra vez en el barco, sobre la inmensidad del mar, bajo la inmensidad del cielo. En Garcillán no supo qué hacer el mozo. Le quedaban unos parientes lejanos. En la Argentina un día trazó en un papel un rengloncito corto; sin darse cuenta escribió otro debajo; un tercero apareció sin que Diego supiese lo que hacía. Sentía una dulce opresión en el pecho; la pluma caminaba rápidamente. Nunca había sentido Diego un placer semejante. En Garcillán continuó escribiendo versos. Un señor de Madrid que pasó un día por el pueblo para dirigirse a un coto de caza, leyó uno de los papeles de Diego. El caballero se quedó pensativo y miró fijamente la cara del muchacho; Diego se puso colorado. Dos días después el mozo salía para la capital de la provincia con una carta. Con la carta se presentó en la Jefatura política [37] y le dieron un destino. De este

[37] *Jefatura política*: equivalente al actual Gobierno Civil.

empleo vive Diego en Segovia. Habita en casa de Eufemia, en la calle del Mercado, frente al Cristo de la Cruz. Su figura se yergue esbelta; ensombrece su labio un sedoso bigote rubio. De su sombrero de copa alta desciende una dorada melena. La luz de sus ojos azules es viva. Los movimientos y ademanes del mancebo son rápidos y enérgicos; a veces, cuando mayor es el ímpetu, Diego se detiene absorto y sus ojos miran, sin ver nada, hacia una lejanía ideal. De pie, inmóvil, con los brazos caídos y un libro en la mano, Diego se halla en la terraza del Alcázar, junto al pretil que da al Eresma. Enfrente, por encima de la fronda verde, se perfila arriba, en la tierra amarillenta, al lado de un camino, la iglesita de la Vera Cruz.

XX

PLÁCIDA

—DI, Plácida, ¿qué haces tú para estar siempre tan joven?

Plácida sonríe. El cuarto de Plácida, en el piso principal, está en un ángulo de la casa y tiene dos ventanas; una da al huerto, y por sobre los árboles se ve la catedral; la otra mira a la campiña y deja ver la Sierra. La estancia es sencilla; las paredes reverberan de blancas. La cama está formada por dos banquillos bajos y seis anchas tablas, todo pintado —según uso— de verde claro. Un armario y una mesa con espejo completan el aderezo.

—¿Qué haces tú, Plácida, para estar siempre tan joven? —repite Doña Inés.

Toda su vida la ha pasado la moza en el pueblo; no ha querido salir de Garcillán. Lejanos parientes suyos son parientes de Diego Lodares. Han sido compañeras en la infancia Doña Inés y Plácida; pero Plácida es mucho más joven que Doña Inés. La dama va examinando el cuarto de la moza. En el armario está colocada con cuidado la ropa. Blanquean las primorosas texturas segovianas de lino; cada tabla del armario está cubierta de un paño blanco; sobre el paño se levantan los montones de ropa. En un rincón, las manos de Doña Inés han tropezado con una bolsa de punto de seda —seda roja— con dos argollas de plata. En un cujón de la bolsita hay napoleones, duros; el otro está henchido de onzas de oro.

—¿También tú tienes tu condesijo? —ha dicho Doña Inés.

Y luego, en tanto sonreía Plácida, ha añadido:

—¿Te atrae también a ti el dinero? ¿Has visto tú que el dinero lo tienen muchas veces los más indignos? No debería haber *tuyo* ni *mío*. Yo tiraría a puñados las onzas por la ventana. Si con el dinero no se puede tener juventud otra vez, ¿para qué lo quiere la Humanidad? ¿Harías tú sufrir a nadie por causa de dinero? Es una maldad grande que haya dolores por una cosa que podíamos suprimir. Si tienes tú una espina en un pie, que no te deja caminar, ¿no es una estupidez el que no te la quites?

Plácida sonreía. Plácida es alta y cenceña. En la tez tersa y brillante —al igual que en las esculturas sagradas— brillan los dientes blancos. En la blancura de la piel se enciende el rosicler de las mejillas. Los labios y las mejillas de la moza son —usando de una imagen de que gustaba usar Lope— pétalos de rosa caídos en naterones cándidos.[38] El cuerpo fino y duro se mueve ondulando. Viste la moza una falda de indiana azul celeste con un ribete blanco y el busto va ceñido por un pañuelo de fondo punzó y ramos también blancos. Bajo uno de los paños que cubren las tablas del armario se nota un grueso bulto. Las manos de Doña Inés han tropezado con él. Plácida se acerca vivamente al armario.

—¿Qué es esto? —pregunta Doña Inés.

La mano de la dama tentaba por encima del paño un paquete de papeles. Un ademán de la moza ha detenido a la señora. Las dos se miraban en silencio.

[38] *naterones cándidos*: la expresión "gustaba usar", equivale en español a 'solía usar', y ciertamente no parece haber sido una expresión que repitiera Lope con frecuencia. Yo no la he hallado en el sondeo que he realizado en el inmenso bosque de la producción de Lope. La expresión fue del agrado de Azorín, que por cierto vuelve a citar en *Madrid* (1941), p. 91. Pero, lopistas tiene Lope...

—¿Te ha cortejado a tí nunca nadie? [39] —ha preguntado Doña Inés—. ¿Tienes tú algún chichisveo? [40] Plácida ya no sonreía. Si Doña Inés hubiera escudriñado el paquete oculto en el armario, debajo del blanco paño, hubiera visto que muchos de esos papeles están llenos de versos. Las ventanas dan al campo y a la ciudad. La Sierra se columbra en la lejanía. Cuatro o seis álamos, cerca de la casa, ponen sus cimas agudas —a causa de la perspectiva— junto a las últimas pinceladas blancas de la nieve de la montaña.

39 *nunca nadie?* : esto es, 'alguna vez alguien'. Son negativos usados como positivos como "¿Cree usted que nadie [alguien] sea capaz de persuadirle?" o "¿Viste nunca [alguna vez] tú tal coche o tal litera como son las manos de los ángeles?" (Fray Luis de Granada). Cf. Andrés Bello, *Gramática de la lengua castellana,* Caracas, Ministerio de Educación, 1972, *1142.*

40 *chichisveo* : "El nombre de chichisveo desapareció con el correr del siglo XVIII y a finales de él ya se consideraba una antigualla". "Esta palabra antes de designar la costumbre de que una señora casada tuviera un amigo —de donde pasó, como en España, a ser aplicada al amigo mismo—, significó susurro o bisbiseo, como deformación del verbo italiano *bisbigliare* (hablar al oído, susurrar) que se convirtió en *cicisbeare*". La palabra, pues, nos vino de Italia, y en España fue una moda bien acogida en la alta sociedad. La costumbre del chichisveo implicaba una relación galante, pero no sexual. Más tarde se llamó *cortejo.* Para todo ello véase, como indispensable consulta, el libro de Carmen Martín Gaite, *Usos amorosos del dieciocho en España.* Madrid, Siglo veintiuno de España, 1972. (Los párrafos entre comillas, citados al comienzo de la nota, pertenecen al libro de Martín Gaite). Con *chichisveo,* Azorín ha querido significar 'galán' o 'cortejador'.

XXI

LA CASA DE EUFEMIA

LA puerta de la casa de Eufemia está dividida en dos partes: una alta y otra baja. Cuando se abre la primera, puede quedar cerrada, como un antepecho, la de abajo. El zaguán tiene el piso de tierra negruzca. Las paredes son blancas, y por todo lo bajo corre un zócalo gris, separado de la blancura por una lista negra. Hay en el zaguán un banco de pino sin pintar. En el fondo se abre una puerta que da al establo; a la derecha se ve otra puerta que franquea una cámara en que no hay muebles. Tres abombados cofres se ven en esa cámara. La escalera es de pino amarillo y asciente encajonada entre paredes blancas. Arriba se ve un corredor estrecho. Dos puertas dan a este pasillo, y otro corredor se abre a la derecha. Las paredes son blancas; el rodapié ceniciento corre por abajo; la línea negra separa lo blanco de lo gris. El corredor de la derecha conduce a un reducido aposento. En la pared cuelga la espetera. En un rincón reposa una tinaja; cuatro cántaros rojos de Villacastín le dan guardia. Cazos grandes y cazos chiquitos, peroles, un calentador, una chocolatera —todo de azófar— brillan amarillos, como de oro viejo y claro, de oro obrizo, sobre la nitidez del muro. Enfrente, colocadas en una poyata, se ven calderas grandes y calderas chiquitas. Su fondo, batido con millares y millares de martillazos, relumbra encendido al igual de hierro enalbado. La puerta de la camarilla da a la cocina.

El piso de la cocina es de ladrillo rojo. A un lado del hogar hay un banco de pino y al otro una mesa. El fregadero se halla en frente, en un ángulo. En el reborde de la campana de la chimenea aparecen escudillas, vasos, jícaras y tazas. En un extremo se ve un atadijo de teas rojizas y un montoncito de pajuelas de azufre.

Las salas de la casa son anchas. Los techos no tendrán de altura más de estado y medio. Los aposentos tienen alcobas cerradas con puertas de vidriera. En una sala penden dos cuadros con grabados; en uno de ellos dice: "Nuestra Señora de la Fuencisla"; en el otro: "Nuestra Señora de Nava". En otra sala se ven otros dos grabados. En uno pone: "Verdadero retrato de Nuestra Señora del Henar". (La Virgen del Henar es la Patrona de Cuéllar.) En el otro: "Santísimo Cristo de la Buena Muerte. La más espaciosa de las salas está en la parte posterior de la casa. Al pie de las paredes reposan tres cofres. El balcón da al campo; una parra se enrosca a la barandilla. Con el alba, se abren las maderas del balcón. Ha comenzado ya a sonar la campana del Cristo de la Cruz. La primera misa de Segovia se dice en esta ermita. En estos días de verano, cuando el cantueso tapiza de morado las laderas de la Sierra, al romper el alba, los devotos siembran de flores olorosas de cantueso las losas de la iglesia. El aire se llena de penetrante aroma. La aurora ha encendido ya el horizonte. Los verdes y lozanos pámpanos del balcón —en la casa de Eufemia— se bañan gozosos en la fina y virgen luz de la pura mañana.

XXII

LOS COMPAÑEROS DE DIEGO

Los compañeros de Diego en casa de Eufemia son un vasco y un valenciano. Diego ocupa la sala más grande de la casa; los otros dos huéspedes, otras más pequeñas. El vasco se llama Don Herminio Larrea. Ha venido a Segovia para estar cerca de la Sierra. Desde la ciudad hace excursiones Larrea a la montaña. Y de la montaña trae pedruscos de todos tamaños y colores. Luego estas piedras las manda fuera, a San Sebastián, en cajas de madera con etiquetas largas y complicadas. Larrea es autor de un *Plan metódico para ganar siempre a la lotería.*[41] Cuando de tarde en tarde se le dice: "Pero bueno, Don Herminio, con el plan metódico, ¿se gana de veras a la lotería?", Larrea contesta con voz firme: "Se gana, sí; se gana teóricamente; prácticamente, no. Me faltan datos complementarios. He pedido unos libros de matemáticas a París y estoy esperándolos". Los libros tardan en llegar; pero Don Herminio no tiene reparo en ceder *provisionalmente* —el adverbio es suyo— el *Plan,* en copias manuscritas, a quien lo solicite, a reserva de enviar después un suplemento con los datos definitivos, cuando lleguen los libros de París.

[41] Ignoro si este libro o folleto ha existido, así como su pretendido autor, Don Herminio Larrea. Puede ser una auténtica cita bibliográfica o una curiosa mixtificación.

El huésped valenciano se llama Don Vicente Taroncher;[42] está también, como Diego, empleado en la Jefatura política. Sus actividades, fuera de las horas de oficina, las dedica a la pintura y a la genealogía. En el archivo del Palacio episcopal y en el Ayuntamiento trabaja para formar los árboles genealógicos de las familias que se lo encargan. La habilidad de Taroncher en imitar letras es prodigiosa. Su fantasía no lo es menos; disgustos y rencillas ha habido en la ciudad a causa de los documentos presentados por Don Vicente. Y acaso hubiera tenido ya el genealogista un serio contratiempo sin la protección del Obispo y del Jefe político. Del Jefe y del Obispo ha pintado Taroncher los retratos.

Cuatro o seis días ha estado en Segovia un amigo de Larrea: Don Marcelino Calero y Portocarrero.[43] No se errará mucho si se afirma que Calero es también un imaginativo como Larrea. Si Larrea tiene un *Plan* para ganar a la lotería, Calero es autor de un *Proyecto para construir un camino de hierro de Jerez de la Frontera al Puerto de Santa María.* El folleto ha sido impreso en Londres en 1830. Como se comprenderá, la cosa es totalmente absurda. En el extranjero se han construido algunos de estos caminos en que los vehículos van arrastrados por una máquina de vapor. El procedimiento no ofrece ninguna ventaja sobre los medios de locomoción conocidos. Teóricamente —como

[42] En *Valencia* (Madrid, Biblioteca Nueva, 1941), habla Azorín también de un Taroncher, el doctor Eladio Taroncher, médico de la condesa de Chelva.

[43] Marcelino Calero y Portocarrero: emigrado español en Londres durante los años de 1823 a 1834, estableció allí en Frederic Place, Goswell Road, la *Imprenta Española* de donde salieron muy bien impresos una serie de libros españoles. (Cf. Vicente Lloréns. *Liberales y románticos,* Madrid, Castalia, 1968). Es la segunda vez que en una obra de Azorín aparece el nombre de Calero y Portocarrero; la primera fue en *Castilla* (1912), dice allí: "Ya la idea de los trenes de vapor se había lanzado en España en 1830. En ese mismo año apareció, impreso en Londres, un *Proyecto de don Marcelino Calero y Portocarrero para construir un camino de hierro desde Jerez de la Frontera al Puerto de Santa María.* A esta Memoria acompaña un mapa y un curioso dibujo".

diría Larrea— el problema está resuelto; prácticamente no se logrará nunca nada. En cortos trayectos pudiera la novedad acaso dar resultado. Y siempre para el transporte de mercancías, nunca para el de viajeros. "¿Dónde encontrar el hierro necesario para construir los carriles que se necesitarían en caminos de largas distancias?" —ha preguntado Thiers—. Los viajeros corren peligro en los nuevos vehículos de perecer asfixiados por el humo de la máquina y por falta de aire. El paso por los túneles —según ha dicho en la Cámara francesa un sabio, Arago—[44] "produciría a los viajeros fluxiones de pecho, catarros y pleuresías". Las empresas de diligencias y de transportes de mercancías se arruinarían; como no harían falta caballos, no se venderían forrajes, ni paja, ni cebada. Se arruinarían también los labradores. Y dejamos aparte el hecho, importante para los que viajan por recreo, de que los paisajes, con motivo de la velocidad, apenas podrían ser contemplados.

Diego el de Garcillán se aposenta en la sala que da al campo, en la parte posterior de la casa. Tiene al alcance de su mano, junto a la mesa, un estante de libros. Casi todos los volúmenes son de versos. Sobre la mesa se ve uno chiquito que ha comprado estos días. Acaba de ser publicado en este año de 1840; se titula sencillamente *Poesías,* y lo firma un Ramón Campeador o Campoamor.[45] Diego lo va leyendo despacio; su autor será seguramente uno de tantos mozalbetes que

[44] Thiers (1797-1877): primer presidente de la Tercera República francesa, en 1871, e historiador notable. Francisco Arago (1786-1853): astrónomo, físico y político francés.

[45] Ramón de Campoamor y Campoosorio (1817-1901): Las *Poesías* de Campoamor, escritas entre los quince a los veintitrés años de su edad, según confesión del propio autor, fueron editadas en 1840 por el Liceo Artístico y Literario. En 1842 publicó una colección de *Fábulas,* y en 1846 las *Doloras,* que le dieron la mayor fama nacional. Azorín recuerda, pues, la obra primeriza de un poeta desconocido para el gran público, por eso simula en el texto su duda ante el apellido, Campeador—Campoamor.

publican un tomito de poesías anodinas y luego no vuelven a escribir más versos. Campeador o Campoamor, como otros muchos, no hará absolutamente nada. No vale casi la pena de leerle.

XXIII

EN LA ALAMEDA

DOÑA Inés recorre la ciudad y pasea por los contornos. Suele recrearse lentamente en la umbrática espesura de la Alameda. El río se desliza manso en el fondo de la cañada. La verdura, a un lado, cubre la margen y asciende hasta la población. Las huertas forman cuadros de hortalizas en que las altas matas de guisantes están rodrigadas con cañas. Los frutales se entremezclan entre los tablaros verdes. Y el follaje va reptando por el repecho y se cuela por los portillos y entraderos de la ciudad. Ya en estos días de junio los árboles han acabado de pulular. La sombra, encerrada durante el invierno en el subsuelo, ha ido ascendiendo por los troncos; ha henchido las yemas de las ramas, se ha asomado poco a poco en los renuevos verdes, y ha acabado —extendidas las hojas— por cubrir, invadir, llenar los árboles y el paisaje. El río, el Eresma, se desliza apacible en el fondo. Sobre sus cristales tersos, las frondas de las orillas se inclinan y besan las aguas, como si los árboles, sedientos, estuvieran bebiendo de bruces. Y a la otra margen se extiende la Alameda. Cuando el sol tramonta, la dorada luz suave entra sesgada desde lejos por entre los troncos. Todo es verde arriba y todo es suavemente dorado abajo. De los lejanos caserones y palacios de la ciudad, llega la misma sensación de laxitud placiente que se respira en este paseo abandonado. Los retallos y vástagos surgen de las platabandas sin recortar y avanzan hacia el camino. Las espigas secas de los cadillos se agarran al traje del paseante. Llenan los senderos plantas silvestres: la caléndula con su botón y pétalos amarillos: la matricaria con su pétalos blancos y botón de oro; el simpático gordolobo —*verbascum thapsus*— con su pináculo de florecitas de un amarillo claro y sus hojas vestidas de sedosa borra blanca; la clemátides —*clamatis vitalba*— o hierba del pordiosero, con sus flores blancas o violáceas, dignas de ser secadas entre las páginas del *Buscón*; los cardos hoscos con sus pompones morados. En el cielo azul, por entre los claros del ramaje, allá arriba, a doscientas varas sobre el río, se yerguen el Alcázar, la torre de la catedral, la torre esbeltísima de San Esteban, "reina de las torres bizantinas que en España conocemos" —dice Quadrado.[46] En el silencio profundo, gozamos de la armonía maravillosa del verde sobre la piedra dorada. En ninguna ciudad española se da como en Segovia tan perfecto el concierto entre las viejas piedras y la hoja verde lozana. Los momentos van deslizándose y las sombras de los troncos se van alargando. Si nos llegáramos hasta el cercano monasterio del Parral, en ruinas, con los techos desfondados, con las estancias llenas de escombros, con las vides labruscas enroscadas a los maderos carcomidos, escucharíamos en un apartado aposento caer en un pilón el chorro de una fuente y al mismo tiempo, como réplica a este murmurio, en lo hondo, en un subterráneo, el son pausado, intercadente, del agua que se entrederrama, que se derrama despacio, con lentitud.

[46] Se refiere a José María Quadrado (1819-1896) y a su obra *Salamanca, Ávila y Segovia*. Barcelona, 1884.

XXIV

DESDE LA CANALEJA

DESDE la Canaleja contempla Doña Inés el panorama de la Sierra. Allá en lo alto de la ciudad, en una de las calles —la Canaleja— se hace un claro en la fila de casas; una antemural de piedra forma un elevado balcón. Parte de la ciudad, abajo, se divisa desde el mirador; más allá de las tierras labrantías, cerrando el horizonte, aparecen los dentelleos y rotundidades de la montaña. Cerca, diseminados entre las edificaciones, están el caserón de la Comunidad de la tierra de Segovia; San Clemente, con su torreón chato y cuatro ventanas por cada lado bajo el alero; la Trinidad;[46bis] Santo Tomás. Lejos, están la eminencia de Peñalara, a 2.430 metros sobre el mar; las cumbres de las Guarramillas; el Puerto de Navacerrada; los Siete Picos; el Montón de Trigo, a 2.154. A continuación de éste, en dirección al Poniente, las curvas y redondeces de la montaña trazan la silueta de una mujer en su lecho de muerte —la Mujer Muerta—. La parte de la Sierra que se divisa desde la Canaleja es la sección central de los montes carpetanos, en que se juntan, por un lado, la Somosierra, y por otro, la Mujer Muerta, enteramente segoviana.

[46bis] No es La Trinidad lo que se ve desde el mirador de la Canaleja, sino San Millán.

La tarde está limpia; comienza a declinar el sol. En la limpidez y en la serenidad del aire flota como una sensación de melancolía. Las casas que vemos aquí cerca están desparramadas, dispersas. Entre paredones desmochados de corrales y esquinazos de viejos edificios, surgen borbollones de verdes hojas. Apoyados en el antepecho de piedra, nuestra imaginación vaga de casa en casa, de una en otra ventana. Contemplamos balcones en que quisiéramos apoyarnos, como estamos aquí ahora, sin esperar nada, sin pensar en nada, durante un crepúsculo vespertino; y vemos puertas en que desearíamos permanecer un momento, pisando sus umbrales, en una época de nuestra vida. En el azul de la Sierra blanquean aún en estos días de junio unas manchitas de nieve. Las hojas de los álamos cercanos verdean sobre el azul de la Sierra. De la Ciudad —lejos del centro— llega hasta este grupo de casas que está a nuestros pies, casas disgregadas, desparramadas, el turbión de la vida. Los grandes edificios —iglesias, caserones históricos— clarifican y desparraman más todavía la corriente que viene de lejos y hacen que de pared en pared, de esquina en esquina, por entre las calles cortas y desiguales, el hálito vital venga finalmente a condensarse y densificarse en esas puertas y ventanas misteriosas. Llena todo el paisaje, aquí cerca, el misterio de esas ventanas. Y allá lejos lo cierra la proceridad azul de la montaña.

XXV

LA IGLESITA

DIEGO el de Garcillán viene todas las tardes a la terraza del Alcázar. Desde el antepecho de piedra, por la parte que da al Eresma, contempla el panorama. El río, en lo hondo, está casi oculto por la fronda. De estos árboles, algunos, los añosos y copudos, le recuerdan a Diego el ombú de la estancia argentina. Bajo el ombú pasaron los años de su adolescencia. ¿Está ahora solo aquí Diego el de Garcillán? No está solo el poeta. En la visión que el viajero se forma de Segovia, rebullen en caos magníficos todos los monumentos de la ciudad. La mente se llena de palacios, capillas, arcos, capiteles, rejas, ventanas, torres, retablos. Sobre la masa espléndida de monumentos, surgen el Acueducto, el Alcázar, la catedral, San Esteban, las puertas de San Andrés y de los Caballeros. La imaginación, deslumbrada, en horas de recuerdo va de una maravilla a otra. No podemos poner al pronto orden y sosiego en la admiración. Todo el conjunto de primores arquitectónicos aparece en un plano uniforme.

Diego el de Garcillán no está solo en la meseta del Alcázar. En la mente del contemplador de Segovia se va haciendo poco a poco el orden jerárquico. Los recuerdos se clarifican. El Acueducto, la catedral, el Alcázar, quedan como fondo magnífico del cuadro. Y, en primer término, va apareciendo —confusa primero, después más clara— una iglesita románica. La iglesia es reducida; sus paredes son sencillas. Forma el templo un polígono; una torre cuadrada lo flanquea. El tejado es bajo, y sobre la techumbre se alza poco empinado el otro tejadillo del cimborrio. Sobresalen de la fábrica los ábsides. Las ventanitas de la iglesia nos miran desde lejos.

No está solo Diego el de Garcillán en la explanada del Alcázar. La iglesita románica de la Vera Cruz se alza allá en un terrero, al lado de un sequeral castellano, pasada la arboleda del Eresma. Ante la puerta principal del templo, pasa un camino blanco. La otra puerta, junto a la torre, es chiquita. El camino se aleja culebreando, polvoriento, hacia un poblado que emerge en el horizonte —Zamarramala—. Desde encima de las casas, la torre de otra iglesia parece observar a la iglesita románica. La iglesita está cerrada. En el interior se halla todo desmantelado; pero esta iglesita, entre los grandes y magníficos monumentos de Segovia, acaba por dominar señera. El Acueducto es admirable; acueductos y puentes romanos hay algunos en España. Catedrales hay muchas; Alcázares no faltan. La iglesita románica no tiene par. La construyeron los templarios en el siglo XIII. De regreso de Jerusalén, estos caballeros quisieron imitar con su ámbito el sepulcro de Cristo. "En ninguna otra provincia española —dice un viajero— se encuentra ejemplar semejante". "Única en la ciudad y tal vez en España", asevera un arqueólogo. La iglesita, aislada, limpia, solitaria, sin edificaciones adedañas, se levanta al lado del camino sinuoso, en la tierra polvorienta castellana. El camino se aleja blanco hacia el pueblecito. ¿Va a estar solo en la vida Diego el de Garcillán, solo como esta iglesita? La iglesita románica le acompaña en sus horas de meditación. ¿Llegará a ser también el poeta singular en su arte, dichosamente singular, como la iglesita románica?

XXVI

LA FLECHA INVISIBLE

TODAS las tardes, Diego el de Garcillán viene a la terraza del Alcázar. El tiempo está sereno en estos días del verano. Los árboles se muestran llenos de sombra. Las aves pían alegres. Relumbra la bóveda azul del cielo. Diego, junto al antepecho de piedra, contempla a ratos el paisaje; otras veces lee en un libro. La arboleda cubre las claras linfas del Eresma. La iglesita de la Vera Cruz acompaña al poeta. En el otero se yergue solitaria. Junto a su puerta principal pasa el camino y se aleja sinuoso hasta el pueblecito que asoma en el horizonte. Todo respira vida y fuerza. Las cosas se ven claras; el aire es vivo y cálido. Con el brazo caído y el libro en la mano, el poeta contempla el panorama. Diego experimenta una ansiedad que no puede definir; a veces se siente exaltado, y otras parece hundirse en un abismo. Quisiera hacer algo que no sabe lo que es. Cuando la naturaleza toda ríe, él siente honda melancolía; en los crepúsculos vespertinos, al tiempo que surge el lucero, su espíritu se estremece con una sensación indefinible.

Ha llegado Diego el de Garcillán esta tarde a la terraza del Alcázar. Absorto está leyendo cuando ha llegado también, lenta y silenciosa, una dama —Doña Inés—. Cerca del poeta se ha colocado, junto al antepecho de piedra, la señora. No han hecho ruido ninguno los pasos de Doña Inés; quieta está ahora contemplando también el paisaje. Nada ni nadie turba en la terraza el silencio. Y de pronto, sin saber por qué, misteriosamente, Diego ha vuelto la cabeza y ha visto a Doña Inés. La mirada del poeta ha quedado clavada en los ojos de la dama; la mirada de la dama se ha posado en los ojos del poeta. El aire es más resplandeciente ahora. Los pájaros trinan con más alegría. Canta la calandria y contesta el ruiseñor.[47] Las flores tienen sus matices más vivos. Las montañas son más azules. El agua es más cristalina. El cielo es más brillante. Todo parece en el mundo fuerte, nuevo y espléndido. ¿Es el primer día de la creación? ¿Ha nacido ahora el primer hombre? Los ojos del poeta no se apartan de la faz de la dama, ni los ojos de la dama del rostro del poeta. Una flecha —invisible— ha partido de corazón a corazón.

[47] *Canta la calandria / y responde el ruiseñor,* son dos versos del "Romance del prisionero", recogido por Don Ramón Menéndez Pidal en *Flor nueva de romances viejos,* con este comentario: "Varios versos de este romance se hicieron famosos: todavía su viejo canto subyuga a Azorín cuando en *Doña Inés,* el corazón, que se siente invadir por el amor, trasfunde su exaltado arrobamiento a la naturaleza que le rodea".

XXVII

OBSESIÓN
(ELLA)

RECOSTADA en un sofá, contempla el cielo desde el fondo de la estancia Doña Inés. El cielo se divisa por el balcón abierto de par en par. El azul pálido —en esta hora del crepúsculo vespertino— se va entenebreciendo poco a poco. Un espejo, en una de las paredes, refleja vagamente la débil claridad. En el cielo relumbra la estrella de la tarde. ¿Se podrá revivir la juventud en Hesperus? El lucero vespertino es un mundo similar al nuestro. La juventud no retornará tampoco en ese astro. Si pudiéramos trasladarnos a esa estrella, no notaríamos apenas cambio en nuestra vida; el peso de nuestro cuerpo sería un poco menor que en la Tierra. La luz del crepúsculo va menguando; es más brillante en el cielo negruzco el fulgor del astro. ¿Habrá congojas de amor en Hesperus? "La observación de ese mundo vecino —dice un astrónomo— es sumamente difícil. El disco brillante como una bola de nieve se nos muestra siempre de una blancura cegadora y es preciso observarlo en pleno día si queremos percibir algunos pormenores". Doña Inés tiene la mirada puesta en la estrella brillante. Lentamente el astro va ascendiendo por la inmensa concavidad cerúlea. El cuadrado de luz evanescente del espejo responde en las tinieblas de la sala al cuadrado pálido del balcón. La imaginación finge en la estancia unas manos varoniles que avanzan. Se siente estremecida hasta lo íntimo de su ser la dama. El brazo de Doña Inés se apoya en un brazo; grata sensación de fortaleza entra en el espíritu de la señora. Nada interrumpe el silencio. A la dulce languidez de antes ha sucedido un indecible enardecimiento. Los labios de una faz se contraen; lucen los ojos azules. Entre el fulgor mortecino del espejo y el del cielo resalta lo rubio de una sedosa melena. La estrella está ya junto al dintel del balcón. ¿Se podrá revivir la juventud en el brillante lucero? Los labios han avanzado. En los labios de la dama se posan. Ya no refleja nada el espejo. La luz diurna se ha desvanecido. Sobre los labios de Doña Inés se apoyan otros labios. El beso es largo y apasionado. ¿Habrá en la estrella vespertina cuitas de amor? El astro rutilante ha desaparecido del cuadrado negro del balcón.

XXVIII

OBSESIÓN
(ÉL)

LA vista sigue los renglones del libro; pero no puede leer nada. Se desvanece la luz en el cielo del crepúsculo. El libro forma una mancha blanca sobre la mesa en la vaga claridad de la estancia. Los pámpanos verdes del balcón se divisan vagamente. En el firmamento oscuro relumbra Véspero. ¿Habrá poetas en el brillante astro? ¿Sentirán allí los poetas penas de amor? En la penumbra del aposento, la blancura del libro se va esfumando. Surgen unas manos finas y carnosas. Los labios de una boca resaltan encendidos. La estrella de la tarde es un mundo parejo al nuestro. "El ecuador de la tierra —escribe un astrónomo— mide 40.000 kilómetros; el de Venus es casi de la misma longitud, o sea de 38.450 kilómetros". ¿Habrá en el astro fulgurante poetas que amen a damas inaccesibles? No se distingue apenas en el cuadro del balcón la mancha verde de los pámpanos. Los labios rojos resaltan más en la sombra. Unos ojos negros tienen destellos de bondad, unas veces; otras, miran de hito en hito y misteriosos. Y unos brazos se levantan, y al tiempo que las manos atusan los aladares crespos de las sienes, dejan recortado en el fondo indefinido un busto firme y esbelto. Los ojos del poeta miran la claridad levísima del cielo y no ven nada. La mancha del libro ha desaparecido. Sobre los labios rojos y sensuales se han posado apasionadamente los labios del poeta. El beso ha resonado largo. No se percibe ni el más leve rumor del campo; ni en la estancia turba nada el sosiego. Las últimas vibraciones de las campanadas del Ángelus, en la ciudad, se han disuelto hace rato en lo negro cristalino del cielo. Al ímpetu con que unos labios apretaban otros labios, ha sucedido un profundo desconsuelo. ¿Habrá en la lejana Venus cuitas de amor? En la noche rutila majestuosa la estrella de la tarde.

XXIX

EL SECRETO

TODO reposa en la ciudad y en la casa. En las casas españolas —al menos en las casas provincianas, por tradición de siglos— se hacen dos limpiezas diarias: una se realiza en las primeras horas de la mañana; otra, más sumaria, pasada la comida, en las horas postmeridianas. En estos momentos de la tarde, durante el verano, en que la segunda limpieza ha quedado ya hecha, el sosiego es profundo en la casa. En la ciudad todo se desenvuelve automáticamente; todo obedece a la luminosidad de la hora y de la estación. El sol con su luz viva suscita el bullicio y el estruendo de los moradores. Va declinando la viva luz solar: el estrépito y el tráfago se van amortiguando. Así, a par de la carrera del sol por el firmamento, crece o decrece en la ciudad el oleaje del tumulto y de los mil ruidos. El caos contradictorio de las grandes ciudades, en que el elemento internacional ha entrado, no existe en las pequeñas poblaciones. Las campanadas de la catedral —en el alba, a mediodía, al anochecer— lo dominan todavía todo, y a compás de las campanadas y a tono con el sol, la vida se desliza sincrónica, como en el mecanismo de un reloj.

En estos momentos de reposo, después de la limpieza de la tarde, Doña Inés y Plácida se hallan sentadas tras la casa, en la margen del huerto. La cocina ha quedado entornada. Despide —toda blanca y limpia—

un cálido vaho. Todavía está templada la piedra del hogar. No llegará a enfriarse del todo; pronto comenzará otra vez la faena en la clara pieza. Y ahora un rayo de luz viva, un rayo filtrado a través del parral que entolda la puerta, pone en el alizar blanco de la cocina un resplandor verde.

—¿Has visto tú cuántos tontos hay en el mundo? —dice Doña Inés—. Los más antipáticos son los engreídos con su dinero. Detesto esos nuevos hacendados que se están enriqueciendo con los bienes del clero.[48] ¡Hay tal rapacidad! Son groseros y brutales. Después vendrán los remilgos, y esa gentecilla impondrá a la sociedad española un odioso tono de gazmoñería y de sordidez.

Luego, tras una pausa:

—¡Qué sórdidas y mezquinas esa clase media y esa aristocracia! Yo creo que todo lo que se cuenta de la antigua esplendidez española es mentira.

Y después, tras otra pausa:

—¡Qué dura e intolerante esta vida española!

Plácida, sentada en una silla baja, se ocupa en coser. Doña Inés va y viene por la emparrada plazoleta del huerto. Se detiene y pregunta:

—¿Hay hidalgos en Garcillán, Plácida? ¿Te ha festejado a ti alguno?

Plácida levanta la cabeza de la labor y sonríe. Y Doña Inés de nuevo, deteniéndose ante la moza:

—¿Has conocido tú a Diego el poeta en Garcillán? ¿Ha sido amigo tuyo en el pueblo?

48 Alude a la desamortización de los bienes eclesiásticos producida por las leyes del ministro Mendizábal, durante el bienio de 1836-1837. Cientos de conventos y fincas eclesiásticas fueron sacados a pública subasta, después de haberse suprimido las comunidades religiosas a las que pertenecían. Por cantidades escandalosamente inferiores a su valor real, y mediante turbios manejos, los bienes enajenados del clero pasaron a ser propiedad de la burguesía acaudalada. "Después vendrán los remilgos", asegura Azorín, por boca de Doña Inés. Y eso fue lo que sucedió, así como el "odioso tono de gazmoñería y sordidez", que envenenará la vida española a finales del siglo XIX. Galdós, muy atento espectador de esa época, lo pondrá en evidencia a través de su obra teatral y novelística.

Y Plácida se ha estremecido toda. Palpitaba su corazón con fuerza. Las mejillas se le han encendido. Se esforzaba por tener la vista fija en la labor y no veía nada. Doña Inés, absorta, la miraba en silencio.

XXX

DOÑA BEATRIZ

—Entra, Inés —ha dicho Don Pablo.

Doña Inés permanecía indecisa en la puerta.

—He terminado ya de trabajar —ha añadido el caballero.

Tío Pablo estaba en su biblioteca. La mesa de trabajo es un ancho y recio tablero de nogal. Sobre la mesa se ve una gruesa carpeta henchida de papeles. Las manos del caballero añudaban las cintas verdes de la carpeta.

—He terminado ya de trabajar —ha reiterado Don Pablo—; estoy un poco cansado; pero en estos momentos de laxitud veo más claras las cosas. Lo que estoy haciendo es el último libro que escribiré en mi vida. No sé si te diga que estoy un poco satisfecho de mi trabajo.

La carpeta quedaba ya cerrada. La tenía entre sus manos Don Pablo; ha señalado el tejuelo blanco que aparecía en uno de sus lados y ha dicho:

—Lee, Inés, este rótulo.

En el tejuelo se leía: *Doña Beatriz (Historia de amor).* [49]

—La postrera obra de mi vida será la biografía de esta señora. Estoy todavía en los preparativos.

Don Pablo ha cogido la carpeta y la ha guardado en un armario. El caballero trabaja lentamente, poco a poco va reuniendo los materiales para sus libros;

[49] Véase nuestra *Introducción,* p. 59.

poco a poco va empapándose y saturándose del asunto que ha de tratar. Llega a sentirse compenetrado con el tema, y a sentirlo en todas las horas y momentos del día. Siente entonces una intensa obsesión por el asunto de su libro. Los más pequeños pormenores están presentes a sus ojos. De pronto, en el paseo, en la calle, durante una visita, cuando está pensando en otra cosa, se le aparece limpio y definido un detalle que completa la visión que tenía del tema. Y en esos momentos, en un papelito que saca de la cartera, escribe cuatro o seis renglones. De innumerables papelitos de ésos están llenos gruesos sobres que figuran en la carpeta. Y el tiempo va pasando. Don Pablo ha escrito ya su libro. El libro se ha publicado. Lentamente se va realizando la operación contraria a la ya descrita: la materia tratada en el libro se va desvaneciendo; desaparecen los pormenores en la mente del escritor; van borrándose luego los trazos más genéricos. Y al cabo de algunos meses, en una conversación se suscita un tema análogo al tratado por Don Pablo en su libro, y el caballero que en un tiempo conociera hasta los más pequeños detalles del asunto, parece ahora un hombre completamente estúpido, al ignorar lo más elemental de la materia que se debate.

—Este libro, querida Inés —dice Don Pablo—, será la última obra de mi vida. ¿No has ido a visitar en la catedral el sepulcro de Don Esteban de Silva y de Doña Beatriz, su mujer? Iremos los dos una mañana. Tú eres el último descendiente de la familia. Desde Don Esteban y Doña Beatriz, la línea viene limpia y recta hasta ti. Cuando has aparecido ahora en la puerta y yo te estaba mirando, creía tener ante mí a la misma Doña Beatriz.

—¿Es bonita la historia? —ha preguntado Doña Inés.

—La historia es terrible —ha dicho el caballero—; hay en la vida de Doña Beatriz una pavorosa tragedia. Ya te la contaré otro día. Ven cuando quieras a esta misma hora de hoy; yo trabajo más temprano.

El trabajo de Don Pablo es breve. Sólo una hora u hora y media puede permanecer el caballero con la atención fija en un asunto. La fatiga le sobrecoge pronto. Su productividad es escasa; escasa, pero intensa. Se podría comparar su pluma a la piquera de un alambique que fuera dejando caer gota a gota un precioso licor.

XXXI

COMIENZA LA HISTORIA DE DOÑA BEATRIZ

DON Pablo está saturado del asunto de su libro; todo lo ve claro y limpio; siente un gran entusiasmo por la obra. El trabajo oscuro de lo subconsciente se realiza en todos los momentos del día y de la noche. Y por la mañana, a primera hora, cuando el aire es sutil, Don Pablo escribe quince o veinte cuartillas. Todo lo que emana entonces de su pluma se halla henchido de emoción. La obra va a ser perfecta... Y un día Don Pablo amanece como todos los días. Ha pasado bien la noche; su sueño ha sido dulce. La personalidad del escritor se halla en tono de plenitud. Se sienta Don Pablo ante las cuartillas y comienza a escribir. La letra no es la misma: enrevesada y difícil, no tiene, dentro de su irregularidad acostumbrada, la normalidad de siempre. El pensamiento discurre tardo. Un estremecimiento de pavor recorre entonces los nervios del caballero; Don Pablo ya sabe de qué se trata. Sin darse cuenta de ello el mismo Don Pablo, sin avisos premonitorios, se ha presentado el período de la sequedad.[50]

[50] Ya en *La Voluntad*, Azorín había comentado este estado de ánimo: "El fenómeno está previsto en los manuales de mística: es cosa ésta que les ocurre a todos los místicos noveles [un enorme entusiasmo, un singular ardimiento]. Y después de este entusiasmo, se afirma también que sucede un estado de desasosiego, de angustia, de dureza de corazón, de desaliento muy desagradables. Ese estado se llama *sequedad*". (*La Voluntad*, edición de Inman Fox, Madrid, Clásicos Castalia, 1968, p. 151.)

A partir de este momento, la esfumación del asunto en la sensibilidad del escritor va a comenzar. No habrá fuerza humana que pueda impedirlo. Y se va a entablar entre los personajes y el escritor una lucha desesperada: el escritor tratará de recobrarse y de entusiasmarse artificiosamente para lograr que los personajes no se le escapen, y los personajes, por su parte, lentamente, silenciosamente, se irán alejando de la mente del escritor. ¿Qué influencias misteriosas determinan este cambio en la sensibilidad del artista? ¿Es éste acaso el período de sequedad, como le hemos nombrado, de que hablan los místicos? Y si ahora se ha presentado en Don Pablo la repugnancia instintiva e invencible hacia el asunto, ¿podrá recobrarse estando como está demediado el libro, y logrará terminarlo? La comprobación de su estado de repugnancia ha entristecido al caballero. Se resistía a la inacción; durante media hora ha estado comenzando cuartillas y rasgándolas enseguida. Inmóvil ante la mesa, con el codo apoyado en el tablero, ha visto cómo Doña Inés penetraba en la biblioteca.

—Te agradezco, querida Inés —ha dicho tío Pablo—, estas flores que has tenido la bondad de mandarme para que me inspiraran; pero la inspiración no ha llegado. No haré el libro que pensaba escribir. Lo que he hecho no vale nada; creo que es cosa completamente anodina.

Don Pablo, en los momentos de plenitud, suele leer libros de compañeros suyos; esa lectura sirve para confirmarle en la idea del valor de su prosa. Sí; lo que él escribe puede parangonarse con lo que sus compañeros escriben. Y en los momentos de sequedad, lee también esos libros; pero lo hace para comprobar, entristecido, cómo su prosa es lacia y desmalazada, junto a la prosa viva y elegante de sus colegas. ¿Logrará Don Pablo, para terminar su libro, salir de este atolladero de ahora? El asunto ha comenzado a escapársele; si la fuga y el alejamiento continúan, Don Pablo llegará a la más completa insensibilidad con relación a sus personajes.

—No podré ya escribir el libro que había comenzado —dice—; tú, Inés, no comprenderías, aunque te lo explicara, todo esto que a mí me sucede. Lo que llevo escrito me parecía antes excelente; ahora veo que me he equivocado.

Doña Inés tratar de animar a tío Pablo.

—Pero, querido tío Pablo —le dice—, no hay motivo ninguno para tal abatimiento.

—El asunto era bonito —contesta el caballero—; figúrate tú la tragedia de una mujer buena y candorosa. Doña Beatriz González de Tendilla era mujer, como tú sabes, de Don Esteban de Silva, nuestro ilustre antecesor. Doña Beatriz nació en 1425 y murió en 1466. Don Esteban era copero del rey Enrique IV. Un día se presentó en el palacio de los Silvas un trovador. He logrado reunir curiosos documentos; hubiera podido contar la historia con toda clase de pormenores. El trovador era casi un niño; componía poesías, trovas, que luego recitaban los juglares. Era el trovador un mozo alto, rubio, con los ojos azules, y traía una larga melena de oro.

Doña Inés escuchaba curiosa. Se ha detenido Don Pablo y sus manos apartaban con profundo ademán de cansancio los libros que había sobre la mesa.

—Es interesantísima la historia, querido tío Pablo —dice Doña Inés—. Yo quiero que siga usted trabajando en el libro.

Y el caballero ha replicado:

—No sé si podré terminarlo; no tengo ya ningún entusiasmo. Tú no sabes los lances que ocurrieron en el palacio de los Silvas con el trovador. Doña Beatriz se enamoró del poeta. Y el poeta escribía endechas a la dama. He visto algunas de las poesías del trovador...

Se ha detenido de nuevo tío Pablo; su mirada se posaba en el cesto lleno de cuartillas rotas; sus manos acariciaban los libros colocados sobre la mesa.

XXXII

SIGUE LA HISTORIA DE DOÑA BEATRIZ

¿QUIÉN será capaz de explicar los misterios de la gestación artística? Seis días arreo ha permanecido Don Pablo en estado de repugnancia; repugnancia a escribir, a leer, a pensar en cosas literarias. No sentía apetencia por los libros viejos; no le interesaba la pesquisición del volumen raro y curioso. Su salud era perfecta; estaba descansando el cerebro. Y de pronto, una noche, al acostarse, ha comenzado a sentirse desazonado. Ha pasado la noche de un modo deplorable; se han recrudecido sus achaques y se han avivado sus aprensiones. En los momentos en que un ligero sopor le aletargaba, cruzaban por ese tenue sueño —a manera de luces lívidas a través de las tinieblas— pesadillas y espantos. Cuando se ha levantado por la mañana, no estaba para nada; por hacer algo ha cogido la pluma y ha comenzado a escribir. A la segunda o tercera palabra ha visto Don Pablo, con grata sorpresa, que la letra, dentro de su engarabitamiento habitual, era regular y uniforme. La prosa fluía límpida y exacta. Sentía Don Pablo una intensa emotividad y se veía por momentos próximo a sollozar. Rápidamente iban quedando llenas de renglones las cuartillas. En tanto que iba escribiendo, él pensaba que hoy iba a feriarse un libro raro que había visto en la tienda de un anticuario la noche anterior. Y este artificio que él solía emplear frecuentemente, hacía que su pluma, excitado el cerebro, corriera más ágil y presta. No solía usar Don Pablo de otro excitante mental; ni el alcohol ni el café eran por él usados. Sencillamente, como un niño, se prometía para después de la tarea el goce de una adquisición de libros codiciados.

La tarea del día, quince o veinte cuartillas, estaba terminada. Cuando ha entrado en la biblioteca Doña Inés, el caballero sonreía. Han comenzado a charlar. Tío Pablo se siente retozón y festivo.

—¿En dónde habíamos quedado de nuestra historia, Inés?

—Habíamos quedado en que el trovador estaba enamorado de Doña Beatriz.

—Y Doña Beatriz del trovador. Se llamaba el trovador Guillén de Treceño; era un guapo muchacho. Doña Beatriz, sí, estaba enamorada del trovador. Don Esteban de Silva, el marido de Doña Beatriz, era un hombre de acción. Los hombres de acción, si tuvieran sensibilidad, no serían hombres de acción. No podrían hacer nada. La sensibilidad es el disolvente de la acción. Si América se hubiera descubierto un poco antes, Don Esteban de Silva hubiera sido un conquistador admirable; hubiera fundado un gran imperio. Don Esteban no tenía sensibilidad. Los hombres de acción...

Y Doña Inés interrumpe sin poder contenerse:

—¿Y el trovador?

—¡Ah, el trovador! —exclama Don Pablo—. El trovador moría de amores por la bella Doña Beatriz. Y la bella Doña Beatriz no podía vivir sin su trovador. ¿He dicho ya que Beatriz era una mujer que estaba en el otoño de la vida? El trovador tenía dieciocho años; la amada tenía muchos más. Doña Beatriz no había gustado nunca del amor. Su marido era un hombre violento. No podía reparar Don Esteban de Silva en los matices finos del sentimiento. Los hombres fuertes pasan por la vida sin recoger lo que la vida tiene de más bello. ¿Es que las grandes cosas que hacen los hombres de acción valen acaso el sutil cambiante de un sentimiento o de un afecto? Los hombres de acción...

—¿Y el trovador?

—¡Ah, el trovador! Perdona, querida Inés, El trovador pasaba los días en la cámara de la dama. Nadie podía sospechar de este adolescente. ¿He dicho ya que sus ojos eran azules y era rubia su larga melena? La melena del trovador era lo que más hechizaba a Doña Beatriz. El marido, Don Esteban, no veía nada. Don Esteban de Silva era un hombre de acción. Ni la naturaleza, ni el arte, ni el pensamiento existen para los hombres de acción. Pasan ellos por la vida como si pasaran con los ojos cerrados. Si los llevaran abiertos, ¿podrían caminar hacia su objetivo? Los hombres de acción...

—¿Y el trovador?

Tío Pablo sonríe; sonríe con una sonrisa de bondad y de malicia.

—¡Ah, el trovador! Su melena rubia era lo que más amaba Doña Beatriz. La melena era larga, sedosa. Envolvía su faz como una aureola resplandeciente de oro. Las manos de Doña Beatriz ansiaban acariciar la seda suave de la melena del trovador. Un día estaban solos en la estancia Doña Beatriz y el poeta. Don Esteban se había marchado de caza. Don Esteban no gustaba de los goces de la casa y de la familia; era un hombre de acción. Los hombres de acción...

—¿Y el trovador?

—¡Ah, el trovador! —exclama tío Pablo volviendo a sonreír—. El trovador estaba en la cámara de la dama sentado en una tajuela. Doña Beatriz, con un escarpidor de plata, le iba desenredando la enmarañada melena. Ese día el trovador había caminado por el bosque; sus guedejas estaban enmarañadas. Doña Beatriz, con gran cuidado, lentamente, como si se tratara de un niño, pasaba y repasaba el peine por el cabello largo y sedoso del trovador. Y de pronto...

Se ha detenido don Pablo, se ha dado una palmada en la frente y ha dicho:

—¡Qué memoria la mía! A esta hora me esperaban en el Círculo del Recreo.

—¿Y el trovador? ¿Y el trovador, tío Pablo? —ha preguntado ansiosamente Inés.

Estaba ya en pie el caballero. Con la mano en la puerta ha dicho:

—En el fondo de la cámara en que estaban el trovador y la dama, había una puertecita. Daba esa puertecita a una escalera de caracol. La puerta estaba perfectamente cerrada; Doña Beatriz la había cerrado bien. Y, sin embargo, de pronto, la puertecita chirrió. Las manos de Doña Beatriz se detuvieron; el rostro de la dama se había tornado pálido.

Don Pablo ha franqueado ya la puerta para marcharse.

—¿Y el trovador? ¿Y el trovador?

—Perdona, querida Inés; otro día proseguiremos. La puertecita que daba a la escalera de caracol, estaba entornada. Doña Beatriz lo vio cuando se levantó y fue hacia ella; pero detrás de la puertecita, ni en la escalera, ni en la estancia de arriba, no había nadie.

XXXIII

ACABA LA HISTORIA DE DOÑA BEATRIZ

SOBRE el ancho tablero de nogal, junto al cuadrado blanco de las cuartillas, ponen sus redondeles encendidos unas rosas bermejas. Y al lado de las rosas, en un reloj de arena, el dorado hilillo va cayendo incesantemente. La arena se amontona en el fondo y forma una montañita; cae un poco de arena más y la montaña se desmorona; de nuevo se levanta la cima del montón; el hilillo no cesa de caer y otra vez la montaña se derrumba.

—Detrás de la puertecita misteriosa no había nadie; pero al día siguiente el paje había desaparecido.

—¿Había desaparecido? Tengo miedo de oír esa historia. ¿Qué sucedió después?

—Nadie sabía nada del trovador; no estaba ni en la ciudad, ni en el bosque, ni en la montaña. El señor del palacio sonreía. Doña Beatriz estaba triste.

—¿Estaba muy triste Doña Beatriz? No quisiera escuchar más de esa historia. ¿Qué es lo que pasó luego?

—Doña Beatriz estaba muy triste. Abatida andaba por el palacio; sus camareras la miraban con melancolía; no se hablaba nada en la cámara de la dama; pero todos tenían fijo el pensamiento en el trovador. La cara de Doña Beatriz se ponía pálida; sus ojos estaban melancólicos. Y Don Esteban quiso alegrar a Doña Beatriz.

—¿Don Esteban quiso alegrar a doña Beatriz? No sé lo que presiento; no quisiera oír la continuación de esa historia. ¿Después qué aconteció?

—En el palacio se preparó una fiesta magnífica; vinieron de lejanas tierras todos los deudos del señor; se aprestaron viandas exquisitas y los cocineros trabajaban desde muchos días antes. Los juglares preparaban sus cantos: sus cantos que habían sido compuestos, muchos de ellos, por el pobre trovador.

—¿Por el pobre trovador? No quisiera oír más. ¿Qué sucedió el día de la fiesta?

—El día de la fiesta Doña Beatriz hubo de ataviarse con sus mejores galas. Ya le dan de vestir a la señora; el palacio bulle de gente; ya le trae una camarera el blanco brial; en el palacio los caballeros y las damas van y vienen por corredores y galerías. Ya una camarera le ajusta el corpiño a la dama, y otra la baña con aguas de olor. En el palacio los juglares ríen y chancean con los caballeros. Doña Beatriz está pálida y cabizbaja. Sus camareras le traen las galas y ella se las deja poner como una muerta. En el palacio resuenan risas y cantos. Ya está ataviada Doña Beatriz. Un hondo suspiro se escapa de su pecho.

—¿Suspiraba Doña Beatriz? No puedo escuchar más. ¿Qué sucedió luego?

—La mirada de la dama estaba clavada en el suelo. Todo el palacio resplandece de luz. Suenan albogues y tamboretes. Los pebeteros hinchan el aire de aromas orientales. Las vihuelas mezclan sus vocecillas a las sonoridades de las trompetas. En el patio representan sus farsas los zamarrones, los mismos zamarrones que hoy todavía siguen a los desposados en las bodas entre los maragatos. Ni las más ingeniosas burlerías hicieran sonreír a la desdichada señora. Sólo falta que Doña Beatriz se prenda sus joyas. Las camareras han traído la arquilla de las alhajas. Delante de la señora está una dueña que le presenta puesta de hinojos el cofrecillo. Las manos pálidas y lacias de Doña Beatriz avanzan hacia la arqueta. La señora torna a suspirar; estas joyas de que ella gustaba tanto antes, ahora ya no las quiere; su espíritu está muy lejos del mundo y sus vanidades. Sin mirar el cofrecillo, con sus manos débiles Doña Beatriz lo ha abierto; una de sus manos penetra en la arqueta. Y de pronto sus ojos se han ensanchado con asombro, y al asombro ha sucedido, en un segundo, el terror.

—¿El terror? No, no quiero escuchar más. ¿Qué sucedió después?

—Por el reborde del cofrecillo asomaban las hebras sedosas de una cabellera rubia. Doña Beatriz cayó desplomada. No vivió ya en su sano juicio. Días después se la llevaron a una casa de campo. En el campo vivió cuatro o seis años más. No podían tocar sus manos nada que fuera blando, suave, parecido al cabello largo y sedoso. Sus servidores habían de traer sus cabelleras ocultas bajo capirotes y tocas. Cuando por un azar veía las guedejas asomar por los sombreros o las mantillas, su angustia le hacía entrar en la más exaltada locura.

—¡Oh, qué espanto, qué espanto! No hubiera querido oír nada.

El hilillo de arena de la ampolleta ha cesado de caer. Ha pasado una hora: una hora como otra hora en la sucesión de los siglos. Las rosas dan su fragancia; rojas como la sangre del pobre trovador. Y en los espacios inmensos los astros trazan sus órbitas.

XXXIV

LA INTELIGENCIA

—ME siento muy caído —ha comenzado diciendo don Pablo—; no son aprensiones mías, querida Inés; es desgraciadamente una realidad. Ayer pasé también un día deplorable; mis alifafes no me dejan en paz. Y quiero contarte un sueño que he tenido esta noche. Por la mañana yo había estado hablando con Matías el pastor; le tenía aquí delante de mi mesa de trabajo; había venido a traerme las flores que tú me mandas todas las mañanas y que yo te agradezco tanto. Matías es un hombre fuerte y sano. Yo contemplaba su fortaleza y sentía cierta envidia del pastor. El día fue desdichado; por la noche, antes de dormirme, leí unas páginas, según acostumbro. Tenía en la mesilla este mismo libro que aquí tengo: una obra de Galileo Galilei.[51] La contemplación de los astros me consuela de muchas cosas. El día en que Galileo dirigió por primera vez a las estrellas su catalejo, marcó una nueva etapa en la humanidad: el Universo se hizo a la vez más grande y más pequeño. Y el hombre aprendió a ser humilde. Las últimas palabras de Galileo que leí antes de dormirme fueron éstas: "Tra gli uomini é la

[51] Galileo Galilei (1564-1642): matemático, físico y astrónomo italiano. Famoso por la defensa que hizo del sistema de Copérnico (el doble movimiento de los planetas sobre sí mismos y alrededor del Sol) y por sus estudios sobre Sagrada Escritura en relación con los sucesos naturales y los límites entre ciencia y fe.

potestà di operare, ma non egualmente participata da tutti; e non è dubbio che la potenza d'un imperatore è maggiore assai che quella d'una persona privata; ma e questa e quella è nulla in comparazione dell'onnipotenza divina". Apagué la luz y me dormí. No sé cuánto tiempo estuve sin soñar nada. De pronto me encontré en un espacio resplandeciente. Había allí un anciano de larga barba blanca; de larga barba blanca según la imagen antropocéntrica que el hombre se forma del Creador. Sí; yo estaba ante el Eterno. Me sonreía el Eterno con una sonrisa de inefable e infinita bondad.

—Sé que eres bueno —me dijo.

Y perdona, Inés, esta inmodestia mía; no es éste el juicio que yo tengo de mí mismo; estoy siendo historiador imparcial de lo ocurrido.

—Sé —me dijo el Señor— que eres bueno y que en tu corazón no anida el rencor.

Yo me incliné profundamente; estaba conmovido.

—Señor —repuse—, soy un admirador fervoroso de vuestras obras.

—Lo sé —añadió el Señor—, y cuando contemplas por la noche los astros rutilantes veo que piensas siempre en mí. Y yo me he acordado de ti ahora. Tu salud es precaria; necesitas fortaleza para proseguir tus trabajos. Yo te voy a dar la salud que tú ansías.

Volví a inclinarme profundamente; mi emoción era inmensa; el Señor seguía sonriendo bondadoso.

—Y antes de que pasemos adelante —añadió— voy a enseñarte una cosa que a pocos dejo ver.

Tomó al decir esto un puñado de arena. Repentinamente quedó en tinieblas todo. Yo vi que después de levantar en alto el Señor el puño, la arena se escapaba de su mano y caía en el espacio. Cada granito de arena refulgía como una estrella. Y había millares y millares de brillantes granitos de arena.

Se hizo otra vez la luz y el Eterno me preguntó:

—¿Has visto ese puñado de arena?

—Señor —contesté—, he visto un espectáculo interesante.

—Algo más que interesante —corrigió el Señor sonriendo—; para ti inmensamente maravilloso. Lo comprenderás cuando te diga que ese puñado de arena es vuestro Universo en sus proporciones exactas. Cada uno de esos granitos es un mundo. ¿Cuánto tiempo ha tardado en escaparse de mi mano ese puñado de orbes?

—Señor, creo que dos o tres segundos.

—Pues esos dos o tres segundos son vuestros millares y millares de siglos. ¡Calcula tú ahora lo que será una de vuestras vidas! Vosotros no podéis imaginar un Universo que sea distinto de ése en que habitáis. Siempre que echáis a volar la imaginación, pretendiendo forjar cosa distinta, lo hacéis teniendo por base el Universo o algunos de sus atributos. Ni la imaginación de los más grandes creadores vuestros —un Homero, un Dante, un Shakespeare, un Cervantes— podrían imaginar un Universo sin los elementos y propiedades del vuestro; un Universo sin materia ni vacío, sin movimiento ni inercia, sin luz ni sombra, sin vida ni muerte, sin unidad ni diversidad. Y sin embargo, yo puedo hacer, no un Universo, sino millares de Universos en que no haya ni materia ni vacío, ni movimiento ni inercia, ni luz ni sombra, ni vida ni muerte, ni unidad ni diversidad. Aquellos de vosotros que me niegan...

Y al decir esto el Eterno sonreía con serena piedad.

—Aquellos de vosotros que me niegan, razonan dentro de ese mismo círculo infrangible que yo mismo he trazado. No piensan que fuera de ese espacio cerrado puede haber otras cosas que no sean ni materia ni vacío, ni movimiento ni inercia, ni luz ni sombra, ni vida ni muerte, ni unidad ni diversidad. ¿Cómo negaréis la posibilidad de que exista ese algo? La comprensión de esa posibilidad marca el punto máximo adonde puede llegar la lucecita de vuestra inteligencia; más allá, para la pobre inteligencia humana no existe nada; más allá, para vosotros es la región desierta, inhabitable. La lucecita de la inteligencia está como debajo de un celemín rodeado de cosas que vosotros no podéis ver. Y vosotros, Pablo de Silva, vosotros sois vanos y soberbios. ¿No os he dicho muchas veces que seáis humildes? ¿No os he mandado que os améis los unos a los otros? Tú eres bueno; lo sé. Y en prueba de ello, en recompensa a tus merecimientos quiero darte la salud que te falta. El mundo es una serie de equivalencias. Nada se puede conseguir por un lado que no se pierda por otro. Yo he establecido esa ley y quiero cumplirla. Cuando cree otro Universo, haré otra cosa. Te digo esto para prevenirte que la salud que te dé a ti se la quitaré a otro. Claro está que al quitarle a otro la salud, le daré en compensación la inteligencia. Y la inteligencia habré de quitártela a ti.

Comencé, querida Inés, al oír estas palabras, a mostrarme un poco intranquilo. El Señor notó mi desasosiego.

—Tranquilízate —me dijo—, no se trata de que tú pierdas toda la inteligencia; ni de que otro hombre se quede sin toda la salud. Se trata sólo de una parte. Yo, por ejemplo, le quitaré a Matías el pastor un poco de su fortaleza; te la daré a ti, y, en cambio, Matías el pastor con tu inteligencia, con la partecilla de inteligencia que te quitaré a ti, será más inteligente. No notarás apenas el cambio. Veo que te emocionas como si fueras a entrar en una sala de operaciones. Desecha todo temor; de un lado tendrás la salud plena y de otro un poquitín menos de inteligencia.

Y como yo siguiera desasosegado, el Señor añadió:

—¡Ea, no es de tan poco momento el caso que hayas de contestarme ahora¡ Piénsalo bien y mañana podrás darme tu respuesta.

Y me desperté esta mañana. El día, querida Inés, se anuncia fatal para mí; mis dolores no me dejan.

Y Don Pablo ha añadido sonriente:

—Esta noche acaso vuelva a soñar lo mismo que la noche pasada; seguramente volveré a encontrarme en presencia del Señor; habré de darle la contestación prometida.

—¿Y qué piensa usted decirle? —ha preguntado Inés.

—Pues que me encuentro mucho mejor.[51 bis]

[51 bis] Según Inman Fox, "para Azorín la palabra *inteligencia* tiene un significado especial de probable origen schopenhaueriano. Es un poder contemplativo, la sensibilidad necesaria para captar 'lo eterno', el espíritu de las cosas". (En su edición de *Antonio Azorín*. Barcelona, Labor, 1970, p. 26, nota 12.) Sobre el concepto divinal del tiempo, véase Miguel Enguídanos, en *Bibliografía selecta*.

XXXV

EN LA CAPILLA

DON Pablo e Inés han ido a visitar en la catedral el sepulcro de los Silvas. En uno de los muros de la capilla del Consuelo[52] está abierto un alto y espacioso nicho sin zócalo. A lo largo se hallan colocadas dos tumbas: la de Don Esteban de Silva, el marido, arriba, y la de Doña Beatriz González de Tendilla, la mujer, abajo. En la lápida se lee esta inscripción: "Aquí yace el noble caballero Don Esteban de Silva, camarero del rey Don Enrique IV nuestro señor; finó en Riaza jueves dos días del mes de Noviembre de mill e CCCC e setenta y un años. Y la muy noble su mujer cuya ánima Dios haya finó en Cuéllar a cinco días por andar del mes de Octobre año del nascimiento

[52] Como se ha indicado en la *Introducción,* todo cuanto sigue es una invención de Azorín. En la realidad, la capilla del Cristo del Consuelo de la catedral segoviana, es la primera junto al brazo del crucero al lado de la Epístola; por ella se pasa al Claustro. Recibe su nombre del Cristo Crucificado que preside el retablo, y cuya imagen es muy parecida a la del Santo Cristo de la catedral de Burgos. Da acceso a la capilla una verja gótica, hecha en 1515 por fray Francisco de Salamanca. En la pared, enfrente del retablo y adosados al muro, existen dos sepulcros con estatuas yacentes de la segunda mitad del siglo XVI: uno del obispo segoviano don Raimundo de Losana, confesor de Fernando III, el Santo; otro del obispo de Segovia don Diego de Covarrubias, destacada personalidad española del siglo XVI, que fue retratado por el Greco. La obra de arte más valiosa de la Capilla del Consuelo es la portada que da paso al Claustro, debida probablemente al gran arquitecto Juan Guas.

de Nuestro Salvador JhuXpo de mill CCCC setenta e seis años". Fray Juan de Boceguillas habla largamente de este sepulcro en su *Pira sacra y laudatoria de segovianos ilustres.*[53] Las dos estatuas que yacen sobre las tumbas tienen las manos juntas. La cabeza de Doña Beatriz reposa en dos almohadones con borlitas en las esquinas; la de Don Esteban, en un brazado de laureles. Las esculturas tienen toda la finura y suavidad del mármol pario.

—Convendrás, querida Inés —ha dicho Don Pablo—, en que nuestro antecesor tenía bien ganados sus laureles.

La luz entra en la capilla por un elevado ventanal. Una cortina puede velar la luminosidad del pleno sol. Don Pablo e Inés contemplan en silencio el sepulcro. El marido y la mujer parecen dormir; no reflejan en sus semblantes los horrores del tránsito fatal: ni afilamientos, ni concavidades. La escuela de escultura funeraria que se placía en marcar las huellas de la muerte en los personajes representados, no es la que ha esculpido estas estatuas. Don Esteban y Doña Beatriz parecen entregados a un dulce sueño. La mano del visitante se va hacia el cordel con que se corre la cortina para hacer que se cubra el ancho ventanal y los rayos del sol no despierten a los yacentes. La faz de la dama es serena y sus ojos van a pestañear.

—La escultura, seguramente —observa Don Pablo—, fue hecha según algún retrato antiguo, antes de la tragedia.

La tragedia no ha separado en su sueño eternal al marido y a la mujer. Con satisfacción diríase que descansa sobre sus laureles la cabeza de don Esteban.

[53] Teniendo en cuenta que el sepulcro descrito no existe, la referencia a fray Juan de Boceguillas y su *Pira sacra* parece también noticia apócrifa. Pero no nos sorprendería que algún erudito o bibliófilo segoviano hallara algún día la obra citada por Azorín: la mezcla de realidad y ficción casa muy bien con el espíritu de la novela y con las dudas y ansiedades de su principal personaje, Doña Inés. Todo lo relacionado con el sepulcro, como se verá más adelante, en el capítulo XXXVII, adquiere un tono alucinado y ambiguo.

—Duermen y van a despertar, acaso, dentro de un momento —dice Don Pablo—. Cuando despierte Don Esteban, lo primero que hará será llevarse a casa sus laureles.

Doña Inés no aparta su vista de la cara de Doña Beatriz. Poco a poco se ha ido acercando a la estatua. Y primero ha tocado las borlitas y el repulgo de los almohadones. Y luego ha puesto su mano en la frente y en las mejillas de Doña Beatriz. El mármol era fino y suave. La sensación de frescor que ha sentido la dama en la yema de los dedos, ha estremecido, mezclada a otra sensación indefinible, todo su cuerpo.

XXXVI

EL RETRATO

TARONCHER está pintando el retrato de Doña Inés. Todos los días el pintor viene por la mañana a casa de la dama. En una sala clara del piso principal, Doña Inés permanece inmóvil durante una hora, con breves descansos, ante el retratista. Don Pablo suele venir alguna vez y conversa con su sobrina y con el pintor. Taroncher está dando los últimos toques a su obra. Cada día, cuando la labor termina, el pintor encierra en un armario el lienzo; no permite tampoco Taroncher que nadie esté mirando su obra en tanto que él pinta. ¿Es que un escritor lee su libro a sus amigos en el curso de todas sus etapas, desde el apunte inicial hasta la forma definitiva?

—Hace cuatro años —dice Don Pablo — estuve yo en París para hacer estudios en las bibliotecas y en los archivos; trabajé de firme durante quince días; quedé muy cansado; no quise emprender el regreso en tal disposición. Un amigo mío, pintor, para proporcionarme algún solaz, quiso que pasara algunos días en el campo. Una mañana vino a recogerme y emprendimos el camino de Fontainebleau; junto a este bosque había un casar de labriegos y leñadores que se llamaba Barbizon.[54] Paramos en una posada de ese

[54] En Barbizon vivió en algún momento de sus vidas un grupo de pintores que, capitaneados en cierta manera por Théodore Rousseau (1812-1867), crearon una nueva manera de interpretar pictóricamente el paisaje. Las estancias frecuentes de

pueblo y estuvimos allí cuatro o seis días. Y lo singular del caso es que la fonda en que vivíamos estaba toda llena de pintores. Se habían reunido allí y vivían en plena libertad; trabajaban durante todo el día en el campo, en el bosque, y luego por la noche se divertían imaginando una porción de travesuras y extravagancias. La vida entre aquella gente era grata y amena. Habían llenado de dibujos curiosos y de rótulos chocarreros las puertas, las paredes y las mesas. Yo me hice amigo de uno de aquellos pintores; le acompañaba algunos ratos en sus excursiones; tenía un verdadero talento de paisajista. Nos levantábamos antes de amanecer; él gustaba de pintar la luz fina de la mañana, y en esa luz, la hojarasca sutil de la primavera, que a esa hora del día se deslíe en el azul fluido y pálido del cielo. No recuerdo ya cómo se llamaba aquel pintor; era algo así como Ciurot o Coquiot. [55]

Y añade sonriendo Don Pablo:

—De lo que sí me acuerdo es de una muchachita muy linda que algunas veces venía con nosotros: Lisette. Había varias mozuelas pizpiretas y graciosas en la posada; y claro es que la vida transcurría allí dulcemente entre el amor y el arte. Entre el amor, el arte y la ilusión.

Rousseau en Barbizon a partir de 1836, y su establecimiento permanente allí, diez años más tarde, congregaron una pequeña comunidad de pintores integrada por Narciso Virgilio Díaz de la Peña (1808-1876), Julio Dupré (1811-1889), Charles Daubigny (1817-1898), Charles Jacque (1813-1894) y Jean-François Millet (1815-1875). Azorín, con esta embozada referencia, da otra clave sutil de su *Doña Inés*: su amor al paisaje y el campo expresados en técnica literaria que recuerda el grupo pictórico de Barbizon, antecedente del Impresionismo en el que también se inspira. Cf. nota 14.

[55] Jean-Baptiste Camille Corot (1796-1875): Concomitante en cierto modo con los pintores de Barbizon, y mayor en años que cualquiera de ellos, fue el primero que plasmó la peculiaridad del paisaje de aquella región en su *Vista del Bosque de Fontainebleau*, de 1831. La manera de citarle Don Pablo —Ciurot o Coquiot— simula perfectamente las vacilaciones de la memoria intentando aprehender un nombre olvidado por el paso del tiempo. Por otros motivos, véase algo semejante con el nombre de Campoamor, en el capítulo XXII. Nota 45.

Y tras breve pausa:

—Le hubiera gustado a usted aquello, amigo Taroncher.

Y Taroncher, prestamente:

—Muy bonito, Don Pablo; pero perdóneme; a mí no me gusta nada más que Valencia. [56]

Y Doña Inés:

—¿Y por qué no le gusta a usted nada más que Valencia, querido Taroncher?

—¡Porque Valencia es lo mejor de España!

—¿Y por qué es Valencia lo mejor de España?

Y el pintor, dando en su cuadro una briosa pincelada:

—¡Lo mejor de España y del mundo!

—Vamos a ver, amigo Taroncher —acude sonriendo Don Pablo—, explíquenos usted la superioridad de Valencia sobre el resto del Universo.

Taroncher clava el pincel en la paleta y avanza hacia el caballero. Cuando está a dos pasos de Don Pablo le pregunta:

—Usted, amigo Don Pablo, ¿ha visto nunca una valenciana vestida de negro? Que me perdone la señora; Doña Inés de Silva está por encima de todo. Una valenciana vestida de negro es un prodigio. La tez es blanca, marfileña, de una blancura mate, suave; las facciones son llenas, con redondeces mórbidas; acaso en la blancura se advierten las ramificaciones sutiles de las venillas azules. Y lo negro hace resaltar la blancura maravillosa de esta piel y pone un poco de veladura melancólica en la languidez de la mirada.

Doña Inés, un poco impaciente, ataja el tema de la conversación.

—¿No le gusta a usted, querido Taroncher, el paisaje de Segovia? ¿No le gustan el Terminillo, la Alameda, la Fuencisla, el camino de la Piedad?

—Sí, sí me gusta todo eso —replica el pintor—; pero, perdóneme usted, señora; me gustan más la *se-*

[56] Cf. nota 42.

quia de Vera, la *Pechina,* la *Volta del Rosignol, els Albres des Albats.*[57]

Y después de una pausa, en que el pintor contempla a Don Pablo y a Doña Inés:

—¿Ustedes han visto el cielo de Valencia en un atardecer de primavera, en la huerta? Ese cielo es de un azul tan fino y tan pálido, que es casi imposible copiarlo con colores. Y el aire, lleno del olor de las flores, parece encima de la llanura verde como de cristal.

El retrato está terminado. Doña Inés y Don Pablo van a poder contemplarlo. El pintor se ha separado del caballete, y el caballero y la dama están frente al retrato. Inés, en el retrato, tiene un vivo parecido con Doña Beatriz. Taroncher, por encargo de Don Pablo, está haciendo el retrato de Doña Beatriz según la estatua del sepulcro.

—Yo creo, amigo Taroncher —observa Don Pablo—, que usted, influido por el rostro de Doña Beatriz, ha puesto en este retrato algo de sus facciones.

El pintor ha abierto un cuaderno de apuntes tomados ante la tumba de Doña Beatriz, y los tres han ido comparando. Doña Inés, pensativa, absorta, volvía a experimentar, con más intensidad, la sensación extraña, indefinible, que experimentara al poner la mano días antes sobre la estatua de Doña Beatriz. ¿Existe el

[57] *Séquia de Vera*: acequia, de la partida rural de Vera, que es un ramal de la *séquia de Mestalla. La Petxina*: construcción ornamental en forma de concha de grandes dimensiones, en el pretil derecho del río Turia cerca del jardín botánico, construida en el siglo XVIII pero hoy sepultada por los aluviones del río; da nombre al contiguo Paseo de la Pechina. *La Volta del Rossinyol*: calleja que sale de las inmediaciones del puente de la Trinidad y comienza en la calle de Alboraya; bordea por el norte el edificio de San Pío V, donde ahora está instalado el Museo de Bellas Artes, y el Parque del Real o Viveros municipales. *Els arbres dels Albats*: parece un error de transcripción por *els arbres de Salvá,* una pequeña alameda que había en el pretil derecho del Turia, junto a Montolivet. Debo todos los datos precedentes a la gentileza y generosidad del profesor Sanchis Guarner. Conste aquí mi agradecimiento.

tiempo? ¿Quién era ella: Inés o Beatriz? Profundo silencio se ha hecho durante un instante en la sala. Don Pablo comenzaba también a sentirse preocupado. Una obsesión turbadora de su quietud —lo más desagradable para él— se iniciaba en su espíritu.

XXXVII

LOS DOS BESOS

¿EXISTE el tiempo? Doña Inés experimentaba una sensación extraña. Las tinieblas iban iniciándose en las vastas naves de la catedral; declinaba la tarde. Con paso lento caminaba la dama; repentinamente se detenía suspensa. ¿Hemos vivido ya otras veces? Diríase que en una vida anterior, de que no podemos tener ni la menor conciencia, a veces se hace un ligero resquicio; la luz de una vida pretérita penetra en la presente; un fulgor de conciencia nos llega de lejanías remotas e insospechadas. Y entonces, en un minuto de certeza, en un momento de angustia suprema, sentimos que este momento de ahora lo hemos vivido ya, y que estas cosas que ahora vemos por primera vez las hemos vivido ya en una existencia anterior. Doña Inés no es ahora Doña Inés: es Doña Beatriz. Y estos instantes en que ella camina por las naves en sombra los ha vivido ya en otra remota edad. El espanto la sobrecoge. No sabe ya ni dónde está ni en qué siglo vive. Las sombras van espesándose. En el espacio libre, en la campiña, las sombras del crepúsculo vespertino se difunden suavemente por el ancho ámbito. Se mezclan, a determinada hora, las sombras iniciales de la noche y los fulgores postreros del día. Blanda y suavemente —en un vago claror— el día va cediendo a la noche. En un ámbito cerrado, en las naves de una catedral, las sombras son violentas y brutales. Del fondo de los ábsides y de lo recóndito de las capillas, se levantan espesas y tangibles. Ascienden por los muros y rechazan formidables las claridades fallecientes que aletean en las anchas ventanas. Todo lo bajo está ya en sombra. Y cuando las elevadas vidrieras han acabado de palidecer y la oscuridad es en el fondo impenetrable, sólo acá y allá, en el mármol de un sepulcro, en la corona de una imagen, en el dorado de un marco queda un mortecino y suplicante resplandor. El silencio entra entonces en alianza pavorosa con la negrura. Y el más pequeño ruido —el estridor del carretón de una lámpara, el chirriar de un quicio, el resoplido de una lechuza— hace resaltar más terrible la noche y nos estremece.

Doña Inés camina lentamente. Sus pasos quedos la llevan hacia el sepulcro de los Silvas. Se halla ya rodeada de sombras ante la estatua de Doña Beatriz. ¿Es ella Doña Beatriz? ¿Doña Beatriz es Doña Inés? Las manos de la dama se extienden hacia el rostro marmóreo. La alucinación llena el cerebro de Doña Inés. La cabeza de la señora se inclina; sus labios húmedos, rojos, ponen en el blancor del mármol un beso largo, implorador.

Y cuando ya de retorno, en la puerta de la catedral, en los umbrales, ha oído una voz que decía susurrante: "¡Inés, Inés!", la dama ha vuelto el rostro. Y repentinamente, Diego el de Garcillán, mientras pasaba un brazo por la nuca de la señora para sujetarla, ponía sus labios en los húmedos labios de ella, apretándolos, restregándolos con obstinación, con furia. Doña Inés se entregaba inerte, cerrados los ojos, con una repentina y profunda laxitud. Desfallecía en arrobo inefable. Sin saber cómo, sus manos se encontraron en las manos del mozo. Y los dos se miraron en silencio, jadeantes, durante un largo rato que pareció un segundo.

XXXVIII

TOLVANERA

LAS nubes, redondas y blancas, corren veloces sobre el fondo de añil. Las veletas, mudables y locas —son veletas—, giran y tornan a girar de Norte a Sur, de Este a Oeste. No saben lo que hacen. El polvo se levanta y rueda en remolinos violentos, vertiginosos, mezclado con papeles, trapos, astillas, que azotan los vidrios de las ventanas. Suenan formidables portazos en los sobrados, que hacen retemblar todas las casas. Ciernen campanadas en lo alto; el viento las lleva, las trae, las zarandea, las desparrama, menudas o sonorosas, a voleo, por calles y por plazas. El beso del poeta ha repercutido en toda la ciudad. Rueda un sombrero de copa, dando tumbos y quiebros, por un campillo; el manto de una vieja se agita como las alas de un ansarón y quiere volar. Se comenta el suceso, al son de los majaderos. en las reboticas. Las viejecitas levantan sus manos pálidas, de que pende un rosario, y prorrumpen en exclamaciones de escándalo. Una lechuza ha salido de un campanario en pleno día; un avariento ha dado dos cuartos de limosna. Todo está revuelto y trastornado. El beso ha removido los posos sensuales de la ciudad. Al escándalo patente se asocia el escondido deseo; los labios se juntan apretados y se mueven las testas de un lado a otro; todos parecen decir: "¡Y tan señora!" Verbenean y corren, como cohetes, rumores que parten de las tertulias, se detienen en el corro de una esquina, zigzaguean por los mercados, rebotan en una sacristía. Si se pudiera materializar la huella de los rumores se vería toda la ciudad cruzada, enredada, enmarañada por hilos luminosos que serpean de una a otra casa, entre las calles, salvando los tejados, saliendo y entrando por puertas y ventanas. Barbulla en hornos y lavaderos. Titiritaina en talleres y obradores. Trulla en saragüetes y tripudios. Cantaleta en ejidos y eras. Tochuras de villanos en taberna. El gesto de condenación encubre la codicia de lo parejo. Confidencias salaces de viejos y pirujas. Melindres incitativos de fembras placenteras. Las nubes corren rápidas sobre el fondo azul del cielo. Las veletas —son veletas— giran alocadas. No se ha visto nunca en Segovia tal abominación. Los golpazos de las ventanas en los desvanes son formidables. ¿Qué edad tiene ella? Él es un muchacho. Los labios dejan caer en los oídos palabras misteriosas. ¿Se habían visto ya otra vez? Discusión violenta en la mesa redonda de la fonda. ¿Qué van a hacer ahora? ¿Seguirá ella en la ciudad? Un violento puñetazo de un defensor de la dama, dado en el mármol de la mesa, en el café, ha hecho saltar vasos, tazas y platillos. El vendaval dobla los troncos delgados de los árboles, y las ramas agitan, mueven, remueven sus hojas como implorando auxilio. [58]

[58] Este precioso capítulo con el ritmo frenético de sus frases, es uno de los más sensoriales que ha escrito Azorín. La sensación de sonidos violentos y exaltado movimiento, hace juego perfecto con el capítulo siguiente, en donde predominan las formas y los colores y se oyen voces humanas en frases exclamativas. Nótese que Azorín inserta aquí en su prosa una frase —"Melindres incitativos de fembras placenteras"— juntando dos expresiones de conocido origen literario (*melindre incitativo*, de Cervantes; *fembra placentera*, del Arcipreste de Hita) y nótese para admirar la sabia inserción sin que resulte un pastiche despreciable.

XXXIX

AQUELARRE EN SEGOVIA

NUBES pardas. Ruido de cedazos. Araña en espejo. Salero derribado.[59] Cuatro viejecitas andorreras salen de sus cobijos en cuatro puntos opuestos de Segovia. Como si fueran figuras automáticas, al mismo compás, con el mismo andar lento, su paso a paso, van marchando cada una por su camino hacia determinado paraje de la ciudad. Sus caras pajizas están arrebujadas en la negrura de los amplios mantos. La nariz se perfila picuda sobre la boca sumida y avanza en busca de la saliente barbilla. De las cuatro viejas, una se ha detenido junto al fuste de una columna, bajo un arco románico. "¡Qué Santa Rita me libre de este dolor de ijada que me atormenta!" En el fondo de la callejuela, lejos, se divisa la catedral. Otra vieja, de las otras tres, se ha parado en un portal; encima de la

59 *Ruido de cedazos. Araña en espejo. Salero derribado*: Las tres frases sirven, a manera de admonición, para dar entrada a cuanto sigue. El cedazo se ha usado desde muy antiguo para conjuros y hechicerías. Se utilizaba para estos fines clavando una punta de las tijeras en el aro del cedazo y la otra puesta en cruz; se dejaba colgar el cedazo clavado de las tijeras y según se moviera o permaneciera quieto al hacer en voz alta las preguntas sobre lo que se deseara saber, se obtenía contestación. Una araña sobre un espejo y un salero vertido sobre un mantel, en realidad la sal caída sobre algo, son por superstición popular, señales fatídicas. La escena de las viejecitas andorreras nos sugiere, por fin, el famoso cuadro de Ignacio Zuloaga *Las brujas de San Millán*, de 1907, que Azorín conocería. El cuadro está hoy en el Museo de Buenos Aires. Para el tema de la araña en el espejo, véase nuestra *Introducción*.

puerta hay un bello escudo de piedra. En la lejanía de la calle se columbra un pedazo del Acueducto. "El P. Gelasio tiene pico de oro; de más de dos horas son sus sermones". Otra vieja, de las dos que restan, ha hecho una pausa junto a una pared en que se ve un escudito con una mano que sostiene una cruz. A lo lejos, por encima de los tejados de unas casas, aparece el Seminario. "¡El jueves, trisagio en San Millán!" Y la cuarta vieja ha descansado brevemente en el pórtico de una iglesia. "¡Doña Inés de Silva está novia con un zagalón de Garcillán; el mundo va a dar un estallido!" En el fondo de la calleja se perfila el Alcázar.

Desde puntos opuestos de Segovia, las cuatro ancianas negras y pajizas van avanzando lentamente, su paso a paso. Poco a poco sus caminos van convergiendo; las cuatro rutas conducen a una casa de la ciudad. Ya están cerca de una puerta las cuatro viejas vestidas de negro. Dan con sus cayados en el suelo —llevan cayados blancos— y entran en el zaguán. Caminan las cuatro a compás, despacito, su paso a paso. En la sala de la casa, puestas en corro, tienen en medio de ellas a otra anciana. En la negrura de los anchos mantos, como llamas de colores que salieran de una sima oscura, el traje rojo, azul y verde de esta otra anciana flamea vivamente. Una de las cuatro viejas susurra unas palabras en el oído de la anciana vestida de colorines. La anciana contesta: "¡Ya lo sabía!" Otra de las viejas murmura lo mismo. La anciana exclama: "¡Ya lo sabía!" La tercera vieja pronuncia las mismas palabras. La anciana responde: "¡Ya lo sabía!" La cuarta vieja desliza idéntica frase. Y la anciana replica: "¡Ya lo sabía!" Dan todas con sus cayados en el suelo. La anciana vestida de rojo, verde y azul golpea también con su bastón. Las cinco abren desmesuradamente los ojos y profieren exclamaciones de asombro y de escándalo. Y cuando han vuelto a dar en el suelo con sus cayados, las cuatro viejecitas salen por el portal —no por la chimenea— a la calle. Lentamente, despacio, su paso a paso, van marchando por caminos diversos. En el fondo de una de las callejuelas por donde camina una de las viejecitas se ve la catedral; en el fondo de otra, por donde otra camina, el Alcázar. En el fondo de las callejas que recorren las otras dos, el Seminario y el Acueducto. Poco a poco se van apartando las rutas que siguen las cuatro ancianas. Muy lejos están ya unas de otras. El crepúsculo vespertino ha llegado. ¿Han salido de sus mechinales los murciélagos? ¿Brilla blanca y redonda la luna?

XL

EL PECADO

A las cinco se levanta Eufemia todas las mañanas. Abre en silencio la puerta de la calle y la vuelve a cerrar con el mismo cuidado. Enfrente de la casa está la ermita del Cristo de la Cruz. En verano, ya a esa hora la iglesia está llena de luz solar. Los devotos han esparcido por el piso las flores moradas del cantueso: el aire está embalsamado. De la iglesia, va Eufemia a traer el repuesto para el día. Eufemia ha nacido en Turégano; se halla este pueblo a unas cinco leguas de Segovia. Era hija Eufemia del sacristán de San Juan. Los sacristanes, en los pueblos segovianos, suelen anejarse el oficio de tejedor; con él se ayudan a vivir. El padre de Eufemia tenía un modesto telar. La parroquia de San Juan estaba edificada en el castillo. El castillo se levanta en un empinado cerro. Desde sus murallas se otea el pueblo, en la ladera, con la iglesia de Santiago, y en torno del pueblo, verdes huertas —entre ellas la del Obispo—, y más lejos, después de los pinares, la línea azul de la Sierra. En el castillo, todavía en este año de 1840, se ven cuatro o seis cañoncitos de forma ochavada al exterior; otros muchos han sido fundidos para labrar las rejas y cosas de hierro de la iglesia. De la torre del homenaje han sido descuajados muchos sillares. Hay en el castillo dos escaleras de caracol. Eufemia, cuando niña, correteaba con otras muchachas por las murallas, ascendía —dando gritos para que resonara la voz— por el caracol de las escaleritas, contemplaba desde arriba el panorama del pueblo. Ya era entonces, a los ocho, diez o doce años, una mujercita grave Eufemia. Cuando estaba sentada, cruzaba como ahora y según hacen las mujeres españolas del pueblo, los brazos sobre el pecho. Y de sus labios salía la misma oración que ahora susurra.

En tanto que Eufemia va preparando las vituallas para las comidas del día, murmura la vieja oración. Por la ventana entra el sol matinal. Brillantes y vivos van a dar los rayos en la panzuda limeta que, llena de vino claro, reposa sobre la mesa; a su lado se ven una dorada hogaza y cuatro o seis cuartales; manzanas, peras, rojos albérchigos forman un montón pintoresco. Eufemia va cuidadosa por la cocina. Las segovianas son finas e inteligentes. Larga tradición de señorío ha dado a los moradores de esta tierra traza elegante y reposada. Don Andrés Gómez de Somorrostro, en su libro *El Acueducto y otras antigüedades de Segovia* (1820),[60] escribe, después de advertir que ha tratado a los habitantes de los pueblos y de las montañas: "Admiré muchas veces el despejo y finura de sus talentos, particularmente en las mujeres". Eufemia anda diligente por la cocina. En la *Oración de San Antonio,*[61] el padre del santo sale por la mañana a misa, como sale Eufemia, y encarga a su hijo, el niño Antonio, que vele para que los pájaros no devasten el huerto. El niño amonesta a los pajaritos; todos acuden mansos y el niño los encierra en un cuarto. Cuando el padre regresa, Antonio les dice a los pájaros que pueden marcharse, y las aves van saliendo todas y marchándose. Eufemia, mientras prepara las cosas de

60 No he podido obtener noticias fidedignas sobre esta obra; tal vez sea una cita auténtica, por la precisión que ofrece al dar la fecha de impresión.

61 La oración, muy conocida en diferentes regiones de España (Castilla, Extremadura y Levante, sobre todo), ha sido estudiada como obra cantada, y transcrita en notación musical por Rafael Benedito Astray: "Nota al romance de San Antonio, del libro *Doña Inés,* de Azorín", en *Cuadernos Hispanoamericanos,* n.os 226-227 (1968), pp. 491-496.

la comida, susurra la vieja oración. La geografía de las oraciones populares de España todavía no ha sido estudiada. ¿Cómo nacen esas oraciones populares? ¿Quién las compone? En esos versos toscos, mezclados con otros de sensibilidad exquisita, alienta el sentir del pueblo. En una vieja ciudad, entre paredes venerables, durante un minuto de silencio en que contemplamos la cal blanca de los muros o el dorado de los sillares, al escuchar una de esas oraciones, nos sentimos en plena Edad Media. Y sin embargo, muchas de esas oraciones serán modernas, pero su contextura, su sensibilidad, su sencillez arcaica, son las mismas de los viejos romances. En tales regiones de España se rezan determinadas oraciones; otras, en regiones diferentes. A veces pasan oraciones seculares en un país a otro país, donde van poco a poco naturalizándose. Y todas y en todas partes son traídas, llevadas, rezadas por ciegos, ancianas, mozas y niños. La llama de la fe, vivaz e ingenua, luce espléndida en los sencillos y rudos versos.

En la oración de San Antonio los pájaros van saliendo de su encierro.

Antonio les dijo a todos:
—Señores, nadie se agravie,
los pájaros no se marchan
hasta que yo no lo mande.

Se puso en la puerta
y les dijo así:
—Vaya, pajaritos,
ya podéis salir.

Salgan cigüeñas con orden,
águilas, grullas y garzas,
gavilanes, avutardas,
lechuzas, mochuelos, grajas.

Salgan las urracas,
tórtolas, perdices,
palomas, gorriones,
y las codornices.

Salga el cuco y el milano,
burla-pastor y andarrío,
canarios y ruiseñores,
tordos, garrafón y mirlos.

Salgan verderones
y las carderinas,
y las cogujadas,
y las golondrinas.

El rayo del sol que entra por la ventana refulge en el vidrio de la limeta; como un rubí relumbra el vino claro. Eufemia, la noche anterior —en el día del beso— no conocía todavía, a la hora de la cena, el suceso. Se ha enterado de la noticia esta mañana en el mercado. Y al salir ahora Diego de su cuarto, Eufemia ha cruzado los brazos sobre el pecho, ha bajado la cabeza y ha dicho con voz dulce:

—¡Qué pecado, Diego, qué pecado!

Y luego ha añadido:

—¡La pobre Plácida!

XLI

LA HISTORIA Y LA LEYENDA

No podía ser de otro modo: Don Herminio Larrea ha publicado un cartel de desafío al pueblo de Segovia. La exaltación de Don Herminio ha ido creciendo por días; discutía a gritos desaforados en la mesa, a la hora de comer; ni Diego ni Taroncher podían aplacarlo. En el Círculo del Recreo ha tenido un violento altercado con Dámaso Trigueros, un periodista satírico de la localidad que le ha compuesto unas coplas indecorosas a Doña Inés. Don Herminio, a las doce del día, en la plaza del Azoguejo, a pleno sol, ha leído su cartel. En estos días del verano y al mediodía, no había nadie en la plaza. El sol era ardiente y cegador. Ha pasado un niño que había ido a la taberna por un cuartillo de vino y se ha detenido ante Don Herminio con el jarrito de Talavera en la mano. Un galgo —el galgo que corre vago por los pueblos— se ha llegado también y se ha sentado sobre sus posaderas ante el caballero. Del Acueducto, donde anida, ha bajado una paloma. El niño, el galgo y la paloma estaban quietos escuchando a Larrea. Y Larrea, alto, escuálido, con la cabeza puntiaguda y atusada, el bigote lacio y la barbilla saliente, leía a voces su cartel: "Sepan todos, hombres y mujeres, que si no confiesan que Doña Inés de Silva es la más cumplida y noble señora de Segovia..." Cuando en San Sebastián reciben las piedras y las memorias que envía Don Herminio, el director de la compañía industrial en que trabaja el caballero, dice: "No tenemos mejor ingenio que Larrea; sus memorias son un modelo de claridad y exactitud". Don Herminio sigue voceando en la plaza. Una vieja se ha asomado a una ventana y ha preguntado:

—¿Qué es?

Y otra vieja ha contestado desde una ventana próxima:

—¡Pregón de pescado!

La publicación del cartel ha concluido; el niño se ha marchado con su jarro; el galgo ha desaparecido por una calleja, y la paloma ha emprendido el vuelo hacia el Acueducto. Pero Don Herminio Larrea acaba de realizar un acto transcendental. Horas después, en toda Segovia se comenta el suceso. Toda Segovia repite palabras memorables pronunciadas en el Azoguejo. ¿Son las palabras que repite Segovia entera las leídas por Don Herminio en el acto de la publicación de su cartel? ¡Ay, no! Las palabras que repite el pueblo de Segovia no son las altivas y retadoras de Don Herminio, sino las breves y pintorescas de la viejecita en su ventana: "¡Pregón de pescado!"

Y al llegar aquí he de hacer, en conciencia, una declaración leal. He escuchado referir en Segovia el lance de Don Herminio Larrea; según la tradición, la viejecita del Azoguejo pronunció su célebre frase; pero un caballero anciano con quien he hablado del asunto me ha afirmado que, según referencias de su propio padre —autor de un *Libro verde* que se propone publicar la familia— la frase célebre no fue dicha ni por la viejecita ni por nadie en el acto de la publicación del cartel. La frase fue una invención de Dámaso Trigueros, el periodista de las coplas satíricas. Y esa frase fue dicha luego y repetida a manera de comentario, el más adecuado, al acto de Larrea. No ha quedado de Don Herminio su cartel; nadie se acuerda ya ni de una sola palabra del papel que leyó Larrea en el Azoguejo; el hecho, perfectamente auténtico, se ha desvanecido en la noche de los tiempos. Y en cambio subsiste lo apócrifo, la frase ideada con posterioridad al hecho, por un escritor chocarrero. La leyenda ha vencido a la historia. La leyenda es más verdad que la historia. La leyenda hace cristalizar sentimientos e ideas que están en la conciencia de todos. Aun hoy mismo se repite en Segovia, sin saberse de dónde procede, la frase atribuida a la viejecita del Azoguejo. *Pregón de pescado* resume en sus letras desdén, incredulidad, ironía, sarcasmo. *Pregón de pescado* se dice de un discurso político, de una conferencia chirle, de una vana conversación, de una noticia falsa, de palabras retadoras e injuriosas que merecen desdén. La leyenda vence a la historia.

XLII

EL SEÑOR OBISPO

UNA tarde, durante el rezo en el coro, un canónigo —recién llegado el obispo a la diócesis— señaló a su compañero de al lado el mascarón de su misericordia, en la silla en que su colega se sentaba. El canónigo a quien se le llamaba la atención no sabía qué pensar de lo que se le insinuaba. El mascarón señalado representaba una faz humana: los ojos eran grandes; desmesurada la boca. En la boca, entreabierta, asomaban unos dientes agudos y helgados. Caía la nariz roma sobre los labios. Y toda la cara tenía una expresión de socarronería y de estudiada ingenuidad. El canónigo que señalaba la escultura, dijo al fin: "Su ilustrísima". Entonces el compañero exclamó: "¡Es verdad!" Y comenzó a reír. Al terminar el rezo, todos los canónigos conocían ya el hallazgo; reían todos de la semejanza peregrina entre el mascarón de la misericordia y la cara del obispo. Dos días después el mismo obispo quiso ir a contemplar su grotesco retrato. Ante la misericordia, en la soledad de la catedral, su ilustrísima sonreía al ver esculpida en madera su misma faz.

El señor obispo es un hombre bajo y ancho, repolludo; sobre los recios hombros resalta una gruesa cabeza esférica. Los dientes ralos aparecen puntiagudos en el rostro de tez áspera, cuando sonríe. Y en los ojos, en los ojos grandes de este hombre de sobrehaz tosca, brillan unos cambiantes de luz —luz viva de inteligencia— que nos desconciertan de pronto y nos hacen notar la pugna peregrina entre la sutileza elegante y la materia ruda. No sosiega en su cámara el señor obispo: visita y escudriña todas las dependencias de su palacio. Allá se va por pasillos y aposentos, contoneándose, anadeando, moviéndose a un lado y a otro, presto y callado. Lo registra y examina todo; conoce hasta los menores hechos que ocurren en la casa. De la ciudad no ignora la vida de nadie. En la diócesis su espíritu se halla presente en todas partes. Cuando se le cree más ignorante de un asunto, en una conversación, se pone el dedo índice de través en los labios, baja un poco la cabeza, como reflexionando, recordando, y luego dice: "Yo estaba pensando ahora que..." Y estas palabras inician una observación que lleva la charla por otros derroteros distintos del que traía; se piensa entonces en la incongruencia de su ilustrísima; pero luego a luego nos percatamos de que, suavemente, sin sospecharlo, el señor obispo ha venido a hacer notar, con palabras biemplacientes, una cosa que, aunque verídica, era amarga de decir.

Los grandes ojos del obispo relampaguean, en la cara faunesca, con vivacidad inteligente. Calzado con zapatos de suela blanda, sin ser advertido por nadie, silencioso, camina el prelado por pasillos y corredores. Inopinadamente, en una tertulia de familiares y caudatarios, en un grupo de canónigos, surgen cuando la conversación es más arriscada, unos ojos atentos, anchos y maliciosos. El señor obispo está allí; el señor obispo sonríe y en su cara cetrina y redonda, entre los labios gruesos, aparecen los helgados dientes puntiagudos. Todos los tertulianos callan. Entonces el señor obispo se pone el dedo índice de través en los labios y dice: "Yo estaba pensando que..." Y los canónigos, los familiares, los contertulios maldicientes comienzan a mostrarse desasosegados por lo que estaba pensando su ilustrísima.

XLIII

VISITA DE SU ILUSTRÍSIMA

DON Pablo está un poco inquieto. Los comentarios continúan en la ciudad. ¿Qué pensará del caso su amigo el señor obispo? El escándalo ha ocurrido en lugar sagrado. Don Pablo no ha visto a su ilustrísima desde hace tiempo. Doña Inés no viene ya por las mañanas a casa de tío Pablo. ¿Qué hará el señor obispo, tan vigilante, tan atento a todo lo que ocurre en la ciudad? Un golpecito suena en la puerta.

—El señor obispo.

Don Pablo se ha puesto en pie. Ha entrado sonriente el señor obispo. Avanzaba con la mano afablemente tendida y entre sus manos ha estrechado con efusión la mano de don Pablo.

—He ido a pasear a la Alameda y yo pensaba: "Todavía no he dado la enhorabuena al amigo don Pablo; voy a dársela ahora". Y he venido a esta casa, para mí tan grata.

Don Pablo ha sido nombrado miembro correspondiente de una Academia extranjera. El señor obispo diserta sobre la historia.

—Yo también he cultivado la historia, modestamente, allá en mis mocedades; pero la historia, amigo Don Pablo, la historia, tan cautivadora, nos aleja de la realidad presente. El historiador vive en lo pasado; las cosas de la actualidad pasan para él inadvertidas. Yo, en mis tiempos, cuando era aficionado a la historia,

Plácida sonreía. Plácida es alta y cenceña. Cap. XX
Cándida en pie con Segovia al fondo. Ignacio Zuloaga

Casas del Azoguejo. Ignacio Zuloaga

experimentaba esta sensación de ausencia de lo presente. Y lo presente no debe ser olvidado. A nuestro alrededor se desenvuelve una vida que es preciso que conozcamos. Lances y episodios de todo género, amigo Don Pablo, suceden todos los días que han de solicitar nuestra atención; algunos de estos episodios son gratos; otros son lamentables y pueden acarrear funestas consecuencias. Si engolfados en la realidad pasada descuidamos la presente, ¿no incurriremos en cierta responsabilidad? Todos los días, en mis tiempos de muchacho, cuando yo escribía mis pobres trabajos históricos, ésta es la pregunta que me formulaba.

Don Pablo escuchaba sonriendo al señor obispo. Y el señor obispo sonreía también, viendo que el caballero no necesitaba de más claras explicaciones.

En la puerta, ya después de la afectuosa despedida, el señor obispo se ha vuelto desde las escaleras y ha dicho:

—Esta mañana, varios señores de Segovia han ido a visitarme; solicitaban mi concurso para rogar al Gobierno que restaure la torre de Don Juan II, en el Alcázar. ¿Quiere usted unirse a nosotros, amigo Don Pablo? Me dijeron que iban a visitar a usted. La torre de Don Juan II debe ser restaurada.

Y luego, poniéndose el dedo de través en los labios:

—Y yo pensaba: "¡Qué condición tan extraña la de las mujeres!" Sí, condición extraña tienen las mujeres. La torre de Don Juan II me hacía pensar en ello; porque de Don Juan II trasladaba mi pensamiento a Don Álvaro de Luna, y Don Álvaro de Luna me hacía pensar a su vez en la segunda mujer del Rey. El Rey quería casarse con una Princesa de Francia; Don Álvaro le hizo casar con Doña Isabel de Portugal. Y Doña Isabel, que debía el trono de Castilla a Don Álvaro, fue la que más trabajó para la muerte del Condestable. ¡Qué condición tan extraña la de algunas mujeres! Tienen caprichos y veleidades inexplicables. No puede nadie vanagloriarse de entenderlas. La pasión salta por todo. Teje los amores más absurdos; impulsa a las más nobles criaturas a extremos lamentables. Si yo me encontrara alguna vez frente a alguno de estos casos, ¿es que no haría con dulzura, discretamente, todo lo posible por encauzarlo dentro de las leyes divinas y humanas?

Don Pablo bajaba la cabeza ligeramente ante las manos del señor obispo, que apretaban, al despedirse, cariñosamente la suya.

—Sí, amigo Don Pablo —repetía su ilustrísima—, encauzarlo dentro de las leyes divinas y humanas.

Y Don Pablo decía entre sí: "¡Cualquiera le hace a mi sobrina que se case, y a estas alturas!"

XLIV

EL BRAZO SECULAR

TODA Segovia asiste con curiosidad al conflicto planteado entre el poder espiritual y el temporal. El asunto tiene indudable trascendencia. Ha ocurrido el suceso en lugar sagrado. Uno de los fautores del escándalo —el galán— depende del Estado español. La Iglesia no puede castigarle con penas corporales. El poder espiritual relajará el delincuente al brazo secular —*potestas temporalis*—. En la ciudad se espera con interés la decisión del representante del Estado. Y el representante del Estado, el Jefe político de la provincia,[62] Don Santiago Benayas, se halla en su despacho oficial en esta mañana de verano, con las ventanas entornadas, en grata penumbra. En las rodillas del Jefe político está sentado un niño. El padre y el hijo se hallan inclinados sobre la mesa. El Jefe político tiene cogida en su mano la manecita del niño y se la va adestrando en la escritura sobre una plana. Otro niño ha formado en el suelo un castillete con tomos de la *Novísima Recopilación*;[63] otros dos niños juegan en un rincón y disponen los muebles en orden de batalla. El Jefe político es un hombre alto y recio; grueso bigote cae por la comisura de sus labios. Cuando se yergue, su aspecto impone por lo severo. Y su voz retumba atronadora. ¿Qué

[62] *Jefe político*: equivalente al actual Gobernador civil.
[63] *Novísima recopilación de las leyes de España,* editada en 1805, en cinco tomos, a los que se añadió un sexto, como suplemento, en 1829.

decisión tomará en el grave conflicto el representante del Estado? La puerta se ha abierto, y una voz dice:

—¿Da V. E. su permiso?

—¡Adelante, Gaspar! —grita Don Santiago.

Y Gaspar, el ordenanza, cuadrado en la puerta:

—El señor Arcipreste de la catedral desea ver a V. E.

El Jefe político se ha detenido en su tarea de llevarle la mano al niño sobre la plana; se ha levantado y ha antecogido a los otros niños como se antecoge un hato de corderitos. Los niños han entrado en una estancia próxima; ha cerrado la puerta el padre y ha dicho:

—Que pase el Señor Arcipreste.

Don Santiago se paseaba por la sala. Al ver entrar al Arcipreste se ha parado y se ha erguido. El Arcipreste se ha inclinado con reverencia, y a tal reverencia del poder espiritual ha contestado con otra el poder temporal. Y ya están los dos poderes sentados frente a frente, en la quietud y la grata penumbra del despacho.

—Hay momentos, Señor Jefe político... —ha comenzado diciendo el Arcipreste.

Delgado, escuálido, la cara amarilla y los ojos en cuévanos,[64] el Arcipreste habla lentamente, y su mano sale de lo negro del manteo afilada y blanca.

—Hay momentos en la vida, Señor Jefe político, verdaderamente solemnes.

El Jefe político, inclinando la cabeza, asiente a estas palabras.

—La misión que, de parte de su ilustrísima el Señor Obispo y honrándome mucho con ello, traigo ante la

64 "Delgado, escuálido, la cara amarilla y los ojos en cuévanos": reminiscencia de lecturas literarias, nos recuerda la descripción del licenciado Cabra del *Buscón.* Azorín fue un fervoroso admirador de *La vida del Buscón llamado don Pablos* y de su autor, don Francisco de Quevedo; consagró a ambos todo un capítulo de su libro *Al margen de los clásicos* (Madrid, Publicaciones de la Residencia de Estudiantes, 1915). En *Doña Inés,* para encarecer la belleza de las flores de la clemátide, asegura que son "dignas de ser secadas entre las páginas del *Buscón*". Cf. cap. XXIII.

persona de usted, tan digna y respetable, es verdaderamente delicada.

El Jefe político torna a bajar la cabeza, asintiendo, y sonríe. El Arcipreste expone el motivo de su visita; el caso es grave, el representante del Estado en la provincia debe considerarlo detenidamente. En su claro juicio se confía.

—¡El caso es verdaderamente grave, inaudito! —exclama dando un puñetazo en el brazo del sillón Don Santiago.

La voz ha sido tan recia que el Arcipreste contempla un poco inquieto al Jefe político.

—Yo no quisiera —dice prudentemente, extendiendo su mano en además de súplica—; yo no quisiera agravar la situación de ese pobre muchacho; he expuesto imparcialmente el asunto.

—¡Y yo digo —exclama impetuosamente Don Santiago— que el hecho merece la más dura sanción!

—¡Por Dios, Señor Jefe político! —implora el representante del poder espiritual—. Yo no quisiera que por mí...

—¡No, no! —ataja Don Santiago—. ¡La más enérgica sanción!

El Señor Arcipreste, ante la fuerza del brazo secular —*secularis auctoritas*—, baja la cabeza con gesto de resignación. Su misión ha concluido; con tacto y suavidad ha tratado de desempeñarla. No solicitaba rigores excesivos en el castigo del delincuente. El representante del Estado se muestra inflexible. Que la justicia humana siga su curso.

Cuando ha salido del despacho el Arcipreste, Don Santiago ha cogido de la mesa la campanilla y la ha agitado con furia.

XLV

DIEGO ANTE EL JEFE POLÍTICO

AL oír la campanilla repicando con tanta furia, la puerta del fondo se ha abierto y por una rendija miraban sorprendidos los niños. Luego han ido saliendo uno a uno. El Jefe político les ha acariciado cariñosamente en la cara y les ha empujado con suavidad otra vez hacia la estancia próxima.

—Entrad allí —les decía—, que papá está ahora muy ocupado.

El ordenanza estaba cuadrado en la otra puerta.

—¡A ver, Gaspar! —le grita el Jefe—. ¡Que se me presente inmediatamente el señor Lodares!

El señor Lodares está ya en presencia del Jefe político. Le mira éste en silencio; inmóvil se halla Diego.

—Señor Lodares —dice al cabo el Jefe político—, hay momentos en la vida verdaderamente dolorosos.

Hay un profundo silencio en el despacho. El retrato de la Reina gobernadora, Doña María Cristina,[65] pa-

[65] Doña María Cristina de Borbón (1806-1878): cuarta esposa de Fernando VII, a cuya muerte fue Regente de España, durante la minoridad de su hija Isabel II. La referencia al retrato de la Reina Gobernadora que "parece sonreír", va más allá del viejo tópico de un retrato testigo de una escena: recuérdese que la viuda de Fernando VII se enamoró perdidamente de un oficial de su Guardia de Corps, don Fernando Muñoz, más joven que ella, con el que se casó en matrimonio morganático, y que la violenta pasión de la pareja fue motivo de escándalo y causa, si no principal, muy importante, de que la Reina abdicara la Regencia.

rece sonreír. Los niños han entreabierto otra vez la puerta y miran por el resquicio.

—Señor Lodares, ¿qué tiempos hemos alcanzado? ¿Qué licencias nos toca presenciar en estos tiempos? Desafueros ocurren hoy que no se han presenciado jamás. ¿Es lícito esto? ¿Es lícito que un hombre inteligente, un verdadero poeta, ande descarriado y sin tino?

El Jefe político se detiene y se yergue; su voz es sonora. Diego le contempla absorto. El Jefe se para delante de la mesa —antes daba unos paseítos— y coge solemnemente una revista: el *Semanario Pintoresco.*

—Señor Lodares, esto, esto...

Y el Jefe político agita como una bandera el *Semanario.*

—Señor Lodares, esto, esto no lo había yo visto jamás. ¿Acaso un poeta, un verdadero poeta, tiene derecho a lanzarse a tales extravíos? ¡Ah, no invoquemos el llamado romanticismo! Todo tiene sus límites, señor Lodares. Y en esta poesía que usted ha publicado en el *Semanario Pintoresco*[66] se traspasan esos justos límites. No; no es esto fruto del llamado romanticismo; esto es sencillamente anarquía. ¿Acaso Herrera, y Fray Luis de León, y Garcilaso escribían así? Un poco más de corrección y de mesura, señor Lodares. Debemos amoldarnos a las reglas establecidas. ¿Es acaso que dentro de las reglas establecidas no puede desenvolverse la inspiración? ¿No estamos obligados a ser correctos en el arte como en la vida?

Diego no daba muestras de querer hablar; permanecía absorto, sin saber qué pensar de lo que estaba diciendo el Jefe político. Ha tornado a detenerse Don Santiago, ha dejado el *Semanario Pintoresco* sobre la

[66] *Semanario Pintoresco Español*: fue fundado por don Ramón de Mesonero Romanos en 1836, quien dirigió la revista desde su creación hasta 1842. Fue la publicación más famosa del período romántico español y en ella colaboraron los escritores más célebres de la época. Cf. *Índice del Semanario Pintoresco Español.* Madrid, C.S.I.C., 1946, por José Simón Díaz.

mesa y ha dicho, con lentitud, recalcando mucho la frase para darla un retintín de doble sentido y de misterio:

—A la Musa, señor Lodares, se la solicita discretamente y no se la violenta. ¡Y vaya usted con Dios, amigo Diego!

XLVI

PLÁCIDA, ENFERMA

EN una inmensa mañana gris están enredados los pensamientos y las cosas. La luz gris entra por los borrosos vidrios. No luce apenas el cuadro alto y ancho de los vanos. Llueve desde la madrugada. En la estancia resalta la banda blanca del rebozo de la cama en la mate claridad. El agua chorrea de rama en rama sobre las hojas tersas, en los árboles. Se escucha en el silencio el son pausado, rítmico, de las goteras en la casa. La cara de Plácida, casi oculta en el rebozo de la cama, está vuelta obstinadamente hacia la pared. Puertas y ventanas están cerradas. Comienza a amarillear en la arboleda la hojarasca. Compresos en la casa cerrada, cerrado el paso hacia fuera por la densidad del ambiente exterior, los olores de la mansión —de hierbas silvestres, de especias, de ropa lavada, de lana saturada de juarda, de cocina— se expanden densos y espesos por todas las habitaciones. Cuando el ambiente está fuera cargado de humedad y el aire es frío, es cuando los olores, más que otro estimulante cualquiera, hacen resurgir, en los poseedores de memoria de sensaciones los viejos estados espirituales. Cada ciudad tiene su olor y cada casa también el suyo. No todos los países y todas las civilizaciones odoran lo mismo. Sólo un gran poeta francés moderno y un gran novelista sajón han utilizado el poder evocador de los olores. [67] La región

[67] El poeta francés es, sin duda, Charles Baudelaire (1821-1867). En *Les fleurs du mal* (Paris, Poulet-Malassis, et Broise,

de los olores está todavía inexplorada. Antiguas sensaciones de la niñez reviven por el olor de un aposento cerrado o de una fruta, o de la brea de un barco, o del ramaje que se quema en el campo. La niebla va arrastrándose a jirones por la campiña, en la lejanía. El cielo es bajo y pesado. No cesa de llover; por los cristales, de recuadro en recuadro, se deslizan largos y silenciosos chorreones de agua. De pie junto a la cama Doña Inés, la voz suplicante de la señora susurra: "¡Plácida, Plácida, mírame; atiéndeme!" En una estancia próxima, una gotera, de medio en medio minuto, cae en un recipiente lleno de agua y produce como un lamento. En el profundo silencio, bajo el cielo gris, entre la niebla, en tanto que el agua resbala por los cristales, este lamento de la gota que, intercadente cae, resuena flébil, tristemente, en la estancia. El día no avanza. Se ha detenido el tiempo; sentimos profundamente tupido el cerebro. Deseamos sumirnos en las cosas, en la materia eterna, no sentirnos vivir. Nuestro pensar, entre lo gris del ambiente, se torna inconcreto y vago como la niebla. La voz de Doña Inés suplica: "¡Plácida, Plácida, yo no le quiero; será tuyo!" Y el sollozo intercadente de la gota sobre el agua, cayendo desde lo alto, se entra en el espíritu. Lenta e informe avanza la niebla. De recuadro en recuadro, por los cristales, se derrama el agua, como llorando. Los anchos vanos que dan al campo son de ceniza. El espejo refleja opacamente lo ceniciento. Los árboles están medio envueltos en polvareda de ceniza. El ambiente en la casa es denso. Han llegado los sones de lejanas campanas. No sabemos si existe la ciudad y existe el mundo. Dudamos de la existencia de la materia. Todo es impalpable, gris y de ensueño. Sopor indefinible para-

---

libraires editèurs, 1857), hay dos poemas que manifiestan en sus textos el poder evocador de los olores; son el número XXII, *Parfum exotique,* y el XXIII, *La chevalure*. El novelista sajón podría ser Hoffmann (véase el cap. XVI y la nota 32), aunque la alusión sería más precisa si dijera "cuentista", en vez de "novelista".

liza los pensamientos. La cara de Plácida está tercamente vuelta hacia el muro. Y la voz de Inés, susurrante, dice, mientras las manos se crispan y el corazón siente suprema angustia: "¡No le quiero, no le quiero!" De lo ceniciento de la niebla comienzan a emerger en el campo los finos álamos verdes.

XLVII

EL PROBLEMA DE DON PABLO

Tío Pablo ha considerado el problema desde muy lejos, vagamente y a grandes rasgos. En la era está formado, a una banda, el gavillar. Las gavillas han de ser extendidas por toda la era; han de ser luego pasadas y repasadas por el trillo. La paja y el grano habrán de ser aventados. A una parte quedará el grano; a la otra, la paja; de la paja, la más menuda volará más lejos; la más larga formará una espesa capa más cerca. El grano pasará por el harnero; [68] en el harnero quedarán los granzones; el grano limpio habrá formado un montón. El grano irá al molino; en el molino lo molerán. La harina será vendida a los panaderos. Los panaderos amasarán el pan; el pan será cocido. Cocido el pan, será llevado a la mesa... Desde el gavillar hasta el blanco mantel se ha corrido mucho espacio. La cuestión, considerada por Don Pablo, habría de correr antes de la decisión suprema tanto espacio como el trigo desde la era a la mesa. Vagamente, como entre nieblas, pensaba Don Pablo que sería preciso ir a ver a Inés. En casa de Inés habría que plantear el problema. No podía el caballero rehuir el hablar del asunto del día a su sobrina; pero había que meditar detenidamente el caso.

[68] Véase *harnero*, en el *Glosario* que va al final de esta edición.

No sabía Don Pablo lo que tendría que decir a Inés. Había tiempo para pensarlo; convenía dejar pasar los primeros momentos de enardecimiento en la ciudad. Dentro de tres o cuatro días podría ser la entrevista. Tomada esta resolución —resolución de aplazamiento— Don Pablo queda tranquilo. Ya puede seguir el curso sereno y normal de su vida. Hasta dentro de cuatro días —habíamos dicho tres o *cuatro*— no habrá que pensar en el problema.

Los días han pasado. Ha llegado el momento de afrontar la cuestión. Tal vez, sin embargo, no pueda ser hoy planteada. Después de todo, si Don Pablo no hablara del asunto a Inés, ¿qué se perdería con ello? La humanidad ha visto cosas mayores; no es tan insólito el caso como se pregona. Y sobre todo, el tiempo es el gran arreglador de los conflictos. Dulcemente, con suavidad y sin ruido, el tiempo lo va apaciguando todo. Y aparte de esto, Don Pablo, ¿qué autoridad tendrá para amonestar a su sobrina? Él mismo —piensa el caballero— es un caso idéntico, en el terreno del espíritu, al de Inés. Su gozar codicioso de las ideas, del contraste y relación de las ideas; su fruición lenta y suave del mundo, de las formas, del color, de las gradaciones de la luz, del silencio, ¿qué son sino voluptuosidad y sensualismo? Inés no alcanzaría acaso a ver esta orgía silenciosa e interior en que se regodea Don Pablo; pero lo ve el propio caballero, y esto basta. Y después de todo, aunque Inés no lo vea —no lo vea con claridad— se diría que lo presiente, y que el afecto, la simpatía, el impulso cariñoso que la lleva hacia tío Pablo se fundan en esta tácita paridad, en uno y otro, de la manera de ver y sentir el mundo. Don Pablo, sin negarse a sí mismo, no puede ir a reprochar y amonestar a Inés.

Ha transcurrido otro día. Sin poderlo remediar, el caballero está un poco desasosegado. No valen argumentos de historia y de psicología para traer a su ánimo la serenidad. La imaginación, alborotada, le representa ya las consecuencias funestas del suceso. La ciudad está llena de escándalo; el señor obispo puede tomar una decisión enérgica. Diego, ardiente y apasionado, puede lanzarse a un desafuero; Inés, sensible e independiente, no sabemos a qué extremos puede llegar. Los periódicos de Madrid hablarán del caso; España entera...

En estos momentos decisivos, difíciles, de la vida de Don Pablo, el caballero suele recurrir a la lectura de algún escritor de vida y obras serenas. Lee a Cervantes, a Montaigne a Goethe, a Marco Aurelio. Anoche tenía sobre la mesilla Don Pablo los *Pensamientos*[69] del emperador romano. No pudo leerlos; ahora ha ido a buscarlos y, abierto al azar el libro, se ha encontrado con lo siguiente:

"Si alguien te preguntare cómo se escribe el nombre de Antonino, ¿no es verdad que tú pronunciarías con tranquilidad las letras una a una? Y si se airaran contra ti, ¿devolverías cólera por cólera? ¿No continuarías enumerando tranquilamente una letra y otra letra? Del mismo modo, acuérdate que acá abajo cada deber lleva aparejado un cierto número de obligaciones. Y estas obligaciones es preciso guardarlas, y no desasosegarte, y sin devolver iracundia por iracundia, acabar con pausa lo que te has propuesto." (Libro VI, pensamiento XXVI).

La lectura de este fragmento ha dejado perplejo a Don Pablo. La tranquilidad que había ido a pedir a Marco Aurelio se ha trocado en inquietud. ¿Qué quiere decir en esas líneas el buen emperador? Por una parte, no debe intranquilizarse Don Pablo, según Marco Aurelio, y por otra, no debe dejar de cumplir ciertas obligaciones ineludibles. ¿Podrá dejar el caballero de cumplir esos deberes? Y el entrevistarse con Inés, el hablarla discreta y amorosamente, pero con firmeza,

[69] Marco Aurelio (120-160): el verdadero título de su obra es *Soliloquios,* aunque se conoce también con el de *Recuerdos* o *Pensamientos.* Fue escrita en griego, y es una especie de diario íntimo en donde el Emperador hizo examen de conciencia de sus actos y de sus pensamientos. Se imprimió por vez primera en Zurich, el año 1599.

¿no es una de esas obligaciones? "No pierdas el sosiego —dice el emperador—, enumera las letras una a una sin alterarte." Sí, sí; Don Pablo enumera y torna a enumerar las letras del nombre de Inés —son pocas—; pero, ¿lo hace con sosiego?

XLVIII

EL PRIMER GESTO

¿CÓMO es el primer gesto de desabrimiento en el amor? La verdura de las eras es pasada. La plenitud solar se fue. Todo es fallecedero y nada es eterno. Se han disipado ese ímpetu, ese ardimiento, esa perseverancia de los primeros días. En los primeros días, minuto por minuto, segundo por segundo, se quiere gozar del ser amado. Todo vive por él y para él: la luz, las formas, las cosas, el planeta, los mundos en el espacio. En todo se ve al ser amado. Una ebriedad dulce, deliciosa, llena del espíritu. A todas horas el ser querido hincha nuestros sentidos. La espera del momento de verlo nos lleva ansiosamente de un instante a otro. ¡Deliciosa espera! ¡Dulce ansiedad! Todo converge, en el tiempo y desde lo pretérito, hacia este momento en que dirigimos nuestros pasos hacia la mansión de la amada. Y luego, en su presencia, el aire que respiramos es más suave, vivo y penetrante. Las cosas son más ligeras. Lo que nos desplacía antes, ahora merece nuestra indulgencia. No queremos ni cóleras ni gritos. Todo es azul y flotante. Lo disculpamos todo: las negligencias de los criados y las incorrecciones de un amigo. La corriente del tiempo desaparece: este instante que bebemos con ansia, locamente, va a ser eterno. En la felicidad suprema —como en el supremo infortunio— el egoísmo se exalta. La desgracia ajena no la vemos. Cerramos los ojos a las lágrimas y al dolor de los hombres. No existe más que nuestra dicha en el planeta. Sin nuestra dicha, en este momento los mundos no existirían...

Y poco a poco, con lentitud, el ardor va decreciendo. ¿Por qué hoy en vez de ir a la entrevista derechamente hemos torcido por otra calle? Nuestros actos son todavía correctos. No se nos puede reprochar nada. Ponemos especial empeño en nuestra corrección; no hemos dicho ni hecho nada que, por parte de nuestra amada, merezca reconvención. El fervor prosigue disminuyendo. Comenzamos a ver que muchos de los actos realizados en la plenitud de la pasión, eran un poco ridículos. Sonreímos de nosotros mismos. El amor verdadero —nos decimos— es serenidad, reposo; el ardimiento exaltado no puede perdurar. Dura y perdura lo basado en la normalidad. Y comenzamos a encontrar justificantes para una ausencia, para el retardo en contestar a una carta, para las palabras agrias que en un momento de mal humor se nos han escapado.

Y entonces, dolorosamente, asoma la primera lágrima a los ojos de la amada. Doña Inés no ha querido ver el primer gesto de cansancio en el amado. En la mujer que ama —y que ama en la declinación de la vida— no hay horror semejante al de sentir el desabrimiento del amado envuelto en palabras corteses que se esfuerzan, violentamente, por parecer cordiales.

XLIX

¿EPÍLOGO? NO; TODAVÍA NO

"QUERIDO tío Pablo: Me he sentado tres o cuatro veces a escribir, y me he levantado sin escribir nada. Son las seis de la mañana; estoy levantada desde las cuatro. He hecho una porción de cosas. Ahora no sé lo que decir. El desasosiego que tengo no me deja pensar en nada. Creía yo que podría hacer tranquilamente lo que voy a hacer, y me he engañado. He estado tranquila hasta ayer tarde; pero cuando me acosté no pude dormir. No he dormido en toda la noche. He oído todas las campanas de los conventos que tocaban a maitines. ¡No las volveré a oír más! He escuchado el canto de los gallos de todos estos contornos. ¡No los volveré a escuchar más! Y ahora, sentada para escribir a usted, no sé lo que decirle. Y no lo sé teniendo muchas, muchas, muchas cosas que decirle. Se me olvida todo. Voy a levantarme para hacer una cosa que se me había olvidado. Si no la hago ahora, sé que volveré a olvidarla...

"No sé lo que iba diciendo a usted; no quiero leer lo que he escrito antes. He estado poniendo unas cosas en las maletas. Lo que más siento de todo es no poder ver a usted por última vez. Si fuera a verle, estoy segura de que no me marcharía. Usted es bondadoso, tío Pablo; le quiero a usted de todo corazón. La ausencia mía de España me será dura, no por nada, sino por no ver a usted y tener con usted las charlas que teníamos. No tengo más remedio que marcharme. Las cosas vienen así. Si no me marchara sería peor. La dicha que perseguimos, muchas veces no puede realizarse. Realizarla a medias, es peor que no realizarla nada. Usted sabe lo que quiero decir. Sé que usted vendrá a casa; no nos hemos visto hace días. Vendrá usted y le entregarán esta carta, o si no, ordenaré que se la manden. Con esta carta le darán a usted también un pliego. En ese pliego van tres pequeñas memorias: una con lo que quiero que se le entregue a Plácida; otra con lo que ha de dar usted a Diego, y la tercera, con lo que destino a don Santiago Benayas, el Jefe político. Deseo dejar a todos bien; mi fortuna sabe usted que es muy grande. No tengo apego al dinero. Plácida y Diego no tendrán ya que preocuparse del porvenir. Don Santiago me encanta por su bondad; no le he tratado mucho; pero adora apasionadamente a sus hijos y es amigo de todos los niños, y no puede verlos sufrir, como me sucede a mí. Dejo también regalos para Troncher y Larrea. Tengo que levantarme otra vez; perdóneme usted; después voy a seguir...

"¿Qué dejo yo para usted, querido tío Pablo? ¿Qué quiere usted de mí? La casa ésta de Segovia, con su huerto, es de usted, si usted la quiere. Todo está arreglado con mi notario. Véngase usted a vivir aquí; estará más tranquilo que en la casa de la ciudad. El notario le entregará a usted los poderes que he hecho a favor de usted. Tenga usted la bondad de cumplir lo que dispongo en mis notas relativas a Plácida, Diego y Don Santiago. El resto de la fortuna, liquídelo usted. A mis criados de las casas de Madrid y Segovia déles usted lo que digo también por separado en una nota. Se me había olvidado hablarle a usted de esa otra memoria relativa a estos buenos servidores míos. Y espere usted a que yo le escriba y le diga lo que se ha de hacer del capital que resulte de todo lo liquidado. Déle usted también a Matías el pastor una buena cantidad. No ande escaso en el reparto; quiero que todos tengan buen recuerdo de mí. Usted ya sabe lo que yo he dispuesto; añada, usted que es bueno, lo que quiera. A Matías cómprele un rebaño, una finca, lo que él desee. En un buen hombre; es un segoviano fino y noble de los antiguos.

"¿Y tía Pompilia? Usted no querrá decirle nada de mi parte a Pompilia. Ya le pondré yo dos líneas despidiéndome. ¡Y adiós, adiós, querido tío! ¡Adiós, adiós con el corazón y con toda el alma!

Inés"

L

HACIA UNA NUEVA CIVILIZACIÓN

CON la vista fija en una hojita del árbol, Don Pablo no pensaba en nada. Permanecía así largas horas. La marcha de Inés le había sumido en un profundo sopor. Se encontraba de nuevo solo y desesperanzado. Ahora sí que no saldría ya de su soledad y de su desesperanza. Ya no tenía asidero ninguno en la vida. De la hoja del árbol, la vista pasaba a la frondosa copa. Los vientos del otoño hacían caer a intervalos las hojas amarillas. El cielo, entre redondas nubes, dejaba ver claros de azul intenso. La vida era triste. Europa entera marchaba hacia algo desconocido e inquietador. España estaba revuelta. En Madrid había estallado, en septiembre, una revolución. Asonadas y motines habían perturbado a España en este año de 1840.[70] Se extendía por el mundo entero un fermento de desorden político y de relajación moral. El soez materialismo de una burguesía iletrada es el mayor corrosivo del orden social. No necesita la burguesía de ajena y airada mano para su muerte; ella misma se mata. Los aristócratas fraternizaban con manolas y chisperos. Un arte abigarrado —el romántico— refleja una sensibilidad anárquica. Los adolescentes piensan de distinto modo que sus progenitores. El mismo tipo de belleza femenina

[70] Fin de la Regencia de María Cristina de Borbón y subida al poder, como Regente, del General Espartero. El cambio de gobernantes fue precedido de multitud de revueltas, asonadas y violencias, como dice el texto azoriniano.

—con otras modas en el traje y otro estilo en el peinado— es completamente distinto al de antes, El cambio se refleja también en las maneras y en el porte de la gente distinguida: una cierta rudeza villanesca ha sucedido a la civilidad antigua. Don Pablo, solo, desesperanzado, se sentía fuera del mundo. ¿Hacia dónde caminaba la humanidad?

Nueve años más tarde había de morir el caballero repitiendo la misma pregunta. Y repitiendo entonces la misma pregunta con preocupación más honda. La revolución de 1848, en Francia, ha conmovido todos los tronos de Europa. En Italia, en Austria, en Alemania ha tenido repercusión la caída de Luis Felipe. El cólera hace estragos en varias naciones europeas. El socialismo avanza y se difunde. Una mujer, precisamente, una peruana —Flora Tristán— [71] se ha convertido en apóstol de las reivindicaciones obreras y ha lanzado, en 1843, la fórmula de la unión de todos los trabajadores; su libro *L'Union ouvrière* es un verdadero manifiesto. Todo está subvertido; las creencias tradicionales se desmoronan. El poeta más popular de Francia —Béranger— [72] aconseja a los soldados la indisciplina

[71] Flora Tristán (París, 1803-Burdeos, 1844): Puede ser considerada, a justo título, como una precursora de las sufragistas inglesas de finales del siglo XIX y, en cierta medida, también de los movimientos actuales de liberación de la mujer. Abogó por la ley del divorcio y fue partidaria de la abolición de la pena de muerte. Convencida de la absoluta necesidad de unión entre los trabajadores explotados, publicó, unos años antes del *Manifiesto comunista,* su opúsculo *L'union ouvrière* (1843). Agotada por el esfuerzo realizado en la lucha política, murió pobremente en Burdeos. En 1846 se publicó su obra póstuma *Testament de la paria.* Del interés que despierta en la actualidad la vida de esta mujer, da una idea cabal el reciente libro de Dominique Desanti, *Flora Tristan* (París, Hachette, 1972). Dentro del juego de alusiones azorinianas, tal vez tenga algún interés recordar que la hija de Flora Tristan, Aline, fue abuela del pintor francés Gauguin.

[72] Pierre-Jean de Béranger (1780-1857): bajo el título de *Chansons* se conoce y fue editada toda la producción poética de Béranger, entre 1812 y 1813. Son en su mayor parte letras para ser cantadas sobre aires ya conocidos. El tema de las más populares se centra en la sátira de costumbres y en la sátira política. El blanco de su crítica es el gobierno clerical y reaccionario de la Restauración. Hay también en las *Chan-*

y la deserción en una cancioncilla, *Nouvel ordre du jour,* que todo el mundo entona:

Qui s'lon not' origine,
Nous aurons pour régal,
Nous l'bâton d'discipline,
Eux l'bâton d'maréchal.

Y otro poeta, español éste, Bretón de los Herreros,[73] resume en 1841 el estado de los espíritus en los siguientes versos:

Y lo mismo en la dulce poesía
Que en moral, en política, en Hacienda
Nuestro estado normal es la anarquía.

¿Hacia dónde camina la humanidad? La civilización basada en el derecho romano está agotada. Siglos antes o siglos después, al fin vendrá la muerte de la civilización actual. Hacia una nueva civilización caminaba la humanidad. Virtualmente el derecho romano estaba ya muerto. Se sentía Don Pablo profundamente triste; su tristeza era la del morador que, después de haber vivido largo tiempo en una casa, advierte que el edificio está ruinoso y que es preciso buscar otra vivienda. Y la extorsión de la mudanza —que él no había de ver— le preocupaba ansiosamente. Se caminaba acaso hacia un período de caos y de barbarie. *Natura non rompe sua legge,* había escrito uno de los maestros de Don Pablo, Leonardo de Vinci. La naturaleza no rompe sus leyes. Haga lo que haga la Humanidad, sea

---

sons mucha añoranza de los tiempos gloriosos del imperio napoleónico. Béranger suscitó un enorme entusiasmo en la España de 1840 a 1850. Antonio Ferrer del Río publicó en el *Laberinto* una encomiástica biografía del poeta y numerosas traducciones de sus obras, entre 1844 y 1845. Cf. Salvador García. *Las ideas literarias en España entre 1840 y 1850,* Berkeley, University of California Press, 1971.

[73] Manuel Bretón de los Herreros (1796-1873): En 1840 estrena una de sus comedias más famosas, *El pelo de la dehesa*; no he hallado de qué obra proceden los tres versos citados por Azorín.

cuerdo o loco el hombre, sean ordenadas o anárquicas las sociedades humanas, al cabo, después de la barbarie, la Humanidad recomenzará lentamente su trabajo de civilización. El hombre es un animal de inteligencia y de orden; la inteligencia y el orden, en el transcurso de los siglos, a través de catástrofes y de horribles caos, acaban por imponerse. Y esto sucedería ahora; se caminaba hacia una nueva civilización. "¡Adiós, Europa!", repetía Don Pablo en los últimos meses de su vida. "¡Adiós, Acueducto y todo lo que tú representas! ¡Adiós, imperio romano!"

Y luego pensaba que al fin, tras tantas revoluciones y cambios, vendría la muerte de la Humanidad misma. Lector de La Place,[74] sabía que los astros están destinados a perecer. Las modernas teorías cosmológicas —basadas en el descubrimiento de los cuerpos radiactivos—; las modernas teorías de reviviscencia perpetua de los mundos, de los mundos en agonía y en recobro perennales, no le hubieran enseñado nada nuevo. Lo importante era que, de uno u otro modo, la Humanidad había de acabar. Y por ahora y entre tanto, se iba a una honda y pavorosa transformación social. El derecho romano estaba agotado. No sentía, sin embargo, pavor el caballero. No sentía los terrores que pudieran sentir sus amigos y conocidos. El agotamiento de una civilización era para él un hecho ineludible. Hubiera, sí, querido ver algo de la nueva y lejanísima organización social. "¡Adiós, Europa! ¡Adiós, Acueducto! ¡Adiós, imperio romano!", repetía Don Pablo dulcemente. Y como ahora, en este otoño, en tanto que él se sentía morir, las hojas amarillas caían en silencio de la arboleda.

74 Pierre Simon Laplace (1749-1827): matemático y astrónomo francés. Autor de dos obras, muy discutidas en su tiempo, *Exposition du système du monde* (París, 1796), y *Traité de mécanique céleste* (París, 1799-1825), que serían las que leyera Don Pablo.

Cuatro viejecitas andorreras salen de sus cobijos en cuatro puntos opuestos de Segovia.
Cap. XXXIX

Las brujas de San Millán. Ignacio Zuloaga

Allá en lo alto de la ciudad, en una de las calles —La Canaleja— se hace un claro... Cap. XXIV

Segovia de noche (La Canaleja). Ignacio Zuloaga

LI

TAMPOCO ES ESTO EPÍLOGO

DESDE lo alto del monte, en la ladera cubierta de boscaje, se ve allá en lo hondo, por un claro de la enramada, un pedazo de mar. La vista se recrea en la visión de este espejo de acero que aparece, sin transiciones de rocas o de arena, entre lo verde claro de los árboles. Un poco más lejos, el mar es de un azul intenso; anchos meandros blancos, como vías lácteas, se extienden sinuosos por la inmensa llanura. Arriba, en el cielo de azul claro, se deshilachan, blanquecinos, los grandes filamentos de los cirros. La lejanía, en la línea del horizonte, es de un rosa tenue, pálido. Y los ojos vuelven otra vez —en el silencio de la montaña y del mar— hacia este pedazo de cristal negro, negro y moviente, que se columbra entre la hojarasca verde, verticalmente, en lo hondo. Dos o tres gaviotas se mecen blandas en el aire. A ratos, con las alas inmóviles —misterio todavía no explicado—, ascienden rígidas por el azul. Es la hora de mediodía; si pudiéramos desde aquí ver el agua que juguetea entre las negras piedras tomadas de verdín, observaríamos que es un verde jade, claro, transparente. Y si nuestra mirada, doblando la curva del planeta, pudiera avizorar en la inmensidad —desde esta costa cantábrica—, divisaríamos, a esta hora misma, un extraño barco que camina sin velas. No lleva velas, y un largo rastro de humo denso va quedando tras la nave en el azul del cielo.

—¿Qué barco es ése?

—Barco de vapor, *steamboat,* invento maravilloso.

—¿Su nombre?

—*Star.*

—¿Marcha?

—Vertiginosa; diez millas por hora.

—¿Rumbo?

—De Londres hacia Nueva York.

—¿Capitán?

—Míster Davidson, marino joven.

—¡Hurra por los marinos jóvenes, y buen viaje!

El *steamboat* camina desde Europa hacia el Nuevo Mundo. Tiene a sus costados dos grandes ruedas de anchas paletas, y en medio del buque se levanta una estrecha chimenea con la boca ensanchada como la de un arcabuz. El mar, mansamente undoso, balancea con suavidad la nave. Las grandes ruedas del barco giran rápidas y el barco avanza por la inmensidad. Sobre la cubierta, tendida en un largo asiento, una dama —Doña Inés— contempla el cielo y el mar. De cuando en cuando, el soplo de la brisa hace estremecer ligeramente su cuerpo, y las manos recogen sobre el pecho la manteleta. La humareda negra de la elevada y angosta chimenea va quedando atrás en un reguero que se deslíe lentamente. Aparecen velas blancas de fragatas, bergantines, goletas, quechemarines, polacras. Desde todas estas embarcaciones, contemplan el extraño navío con curiosidad, sorpresa, burla, admiración, socarronería —socarronería de los viejos marinos incrédulos—. Y el extraño barco pasa raudo, impávido, escupiendo desdeñoso al azul sus bocanadas negras. ¡Hurra por los marinos jóvenes, y buen viaje! El viejo mundo está agotado.

LII

EPÍLOGO

Sí; esto sí que es epílogo. ¿Dónde está nuestro ombú? Con los ojos del deseo —los más avizores de todos— lo vemos en el horizonte infinito. Se yergue sombroso y fornido, empapado en el azul. El cielo forma sobre su copa una tendida e inmensa tela de brillante seda. Las ramas se inclinan, espesas y suavemente combadas, hacia la tierra. Y en las horas de pleno sol, en tanto que resaltan en el cielo las verdes hojas, se forma en torno del tronco un redondel de sombra densa y fresca. Con nuestras manos quisiéramos acariciar el follaje terso de su espesura y luego recorrer su tronco rugoso y venerable. El viejo ombú desafía el tiempo. Desde lejos ha contemplado cómo la silueta de la ciudad —Buenos Aires— se agiganta. Diríase que todas las estancias y caseríos diseminados antes por la campiña, en los alrededores de la ciudad, se van acercando, densificándose, formando calles y manzanas, atraídos irresistiblemente por la grande y hechizadora urbe. El ombú marcha y marcha, lentamente, hacia la ciudad; se va por años, por meses, acercando a la ciudad. ¿Qué será del amado árbol cuando la ciudad le coja apretadamente entre sus edificaciones inexorables? La vieja estancia que se levantaba frente al ombú, ha desaparecido. Han transcurrido muchos años. A la estancia ha sucedido una grande, espléndida edificación. Son las primeras horas de la mañana; el aire es claro y sutil. El sol besa a lo lejos los muros blancos de otra estancia; en la pared se ve una reja de hierro casi cubierta por los pámpanos de una parra. Muchas veces hemos visto en España este muro blanco y bajo, y estos pámpanos verdes junto a una ventana. Como ha desaparecido la otra estancia, desaparecerá también ésta. La imagen material de la vieja y lejana España se va rompiendo a pedazos; una nueva y poderosa forma trabaja por nacer.

Todos los cristales del grande y espléndido edificio están abiertos; se orean las salas y aposentos. Los cristales de un balcón, en el piso principal, se hallan cerrados. En esta hora matinal, cincuenta o sesenta niños han salido al jardín que precede al edificio. Son hijos todos —niños y niñas— de españoles pobres, y a todos se les da educación y albergue gratuitos en esta casa. Los niños se solazan entre los cuadros del jardín. De pronto se oyen unos golpecitos en el cristal del balcón cerrado. Todas las mañanas a esta hora, en este minuto, golpea sobre el vidrio una mano. Los niños todos se detienen en sus juegos y levantan la cabeza. En el cristal, pegada a la transparente lámina, se divisa una cara. La cara está pálida; anchas y profundas son las sombras de los ojos. Las arrugas de la faz son hondas. Los niños sonríen y levantan sus manecitas. "¡Mamá Inés! ¡Mamá Inés!", gritan palmoteando. No puede ya salir de su aposento la anciana fundadora del soberbio colegio. Es muy viejecita y está enferma. El corazón le angustia. Su mano blanca se posa en sus labios y envía un beso, cuatro besos, muchos besos a los niños del jardín. Y acaso en el jardín, bajo el venerable y amado ombú, cobijado en su sombra, apartado del bullicio, hay un niño —otro futuro poeta—, un niño huraño y silencioso, con un libro en la mano.

Madrid — San Sebastián, 1925.

GLOSARIO

ESTE Glosario tiene por objeto facilitar, a quien lo precisare, la recta y cabal lectura de *Doña Inés*. Por ello, sus definiciones se atienen exclusivamente a la acepción o acepciones utilizadas en el texto por Azorín, que suelen ser las más insólitas. (Véase nuestra *Introducción*). Los principales diccionarios que nos han servido de ayuda para la redacción del Glosario han sido los siguientes: *Diccionario* de la R.A.E. (edición 1970), *Diccionario de Autoridades, Diccionario* de María Moliner, *Diccionario Vox,* preparado por Don Samuel Gili Gaya. Cuando se trataba de tecnicismos, acudimos a enciclopedias especializadas. En varios casos, a falta de información en los precitados diccionarios, tuvimos que recurrir a comunicaciones verbales de ancianas señoras de nuestro ámbito familiar que recordaban con precisión admirable algunos de los utensilios y objetos citados por Azorín, y que ellas alcanzaron a conocer en su infancia. Conste aquí mi agradecimiento, y no menos el recuerdo delicioso y enternecedor de mis viejas amigas afanadas en proporcionarme datos preciosos y fidedignos para esta edición. De igual modo, reconozco mi gratitud hacia mi buena amiga y tocaya Elena Calandre de Pita por la ayuda prestada en la aclaración de las palabras referentes a la botánica de que tan abundantes ejemplos hay en *Doña Inés.*

Con frecuencia se han ampliado las definiciones dadas por los diccionarios oficiales; otras han sido reducidas a la palabra sinónima que mejor convenía al texto azoriniano.

abondo: en abundancia.
abside (el): cuerpo semicircular o poligonal en la cabecera de una iglesia.
acetre (el): caldero pequeño para sacar agua [en el texto, aceite] de las tinajas, pozos, etc.
acodo (el): moldura que rodea un vano [puertas, ventanas, etc.].
adegañas: aledañas, limítrofes, colindantes; también, cercanas, próximas, de los alrededores.
adestrando: adiestrando.
adoban: de *adobar,* curtir las pieles.
adumbra: de *adumbrar,* poner sombra en un dibujo, obscurecer.
agrura (la): difícilmente accesible.
ahiladas: en hilera, es decir, una al lado de otra en posición de frente.
ahocinado: río o arroyo que corre por angosturas; en el texto, "entre peñas".
aladares (los): porción de cabellos que hay a cada lado de la cabeza y cae sobre cada una de las sienes.
albardilla (la): caballete o tejadillo que se pone sobre los muros y tapias para protegerlos de la lluvia.
albardín (el): mata muy parecida al esparto, en forma de pequeños juncos.
albarrada (la): pared de piedra seca; valladar de tierra.
albero (el): terreno albarizo, de tierra blanquecina.
albogue (el): instrumento rústico de viento, compuesto de dos cañas paralelas con agujeros.
alcaravea (la): planta de flores blancas, muy parecida al anís, cuyas semillas tienen propiedades estomacales; suelen emplearse como condimento. Se sazonan con ellas las *gachas,* el famoso guiso campesino, hecho con harina de almortas.
alcayata (la): clavo de cabeza acodillada.
algarabía (la): planta escrofulariácea de tallo nudoso con la que se hacen escobas.
alifafes (los): achaques, molestia física habitual o periódica, generalmente leve. Casi siempre se refiere a personas ancianas o enfermizas.
alijar (el): terreno montañoso e inculto; tal vez, 'serranía', en el texto.
alinde (el): del antiguo *alfinde,* 'acero'; espejo de alinde, es decir, de acero.
alizar (el): friso de azulejos.

ambigú (el): en espectáculos y fiestas públicas y privadas, sitio donde se sirven manjares fríos y calientes con que se cubre la mesa destinada a ese fin. A partir de 1930, la palabra, de origen francés, ha ido cayendo en desuso, hoy es muy raro oírla; en la actualidad, se dice *buffet*, también de origen francés.

ampos (los): copos de nieve, como aclara en el texto Azorín.

anadeando: de *anadear,* andar con movimientos semejantes a los de un ánade, o pato.

andorrera: mujer amiga de callejear.

anejarse: de *anejar* o *anexar,* agregarse, anexionarse.

anodino: insignificante, neutro. Véase nota 2.

ansarón (el): ganso bravo o salvaje.

antecogido: de *antecoger,* llevar a una persona por delante, empujándola.

antemural (el): especie de antepecho de piedra.

anublado: obscurecido.

añudaban: anudaban.

aparada, aparejadas: referidos los dos adjetivos a mesas, significan 'preparadas', 'puestas a punto', 'con todo el servicio necesario y propio para la comida'.

arcada: de *arcar* o *arquear,* sacudir la lana con una especie de arco.

armadijo (el): trampa para cazar animales.

arracada (la): joya o adorno femenino que pende de la oreja (*pendiente*) en forma de arete con adorno colgante.

arrebol (el): color rojo.

arreboza: de *arrebozarse,* ocultar o cubrir el rostro con la mantilla o la capa.

arrecidos: entorpecidos por el frío.

arreo (el): atavío, adorno; como adverbio, 'sucesivamente', 'sin interrupción', 'sin descanso'. Con las dos significaciones (substantivo y adverbio) aparece en *Doña Inés.*

aspersión (la): de *asperjar,* esparcir en menudas gotas un líquido. En el texto no se trata de ningún líquido, sino de un color, el verde, sobre el paisaje.

Astillejos (los): Cástor y Pólux, estrellas principales de la constelación de Géminis.

astrágalo (el): en arquitectura, la pequeña moldura en forma de anillo situada en la parte inferior del capitel, rodeando la columna. En el texto se refiere, como es obvio, al borde de los peldaños de una escalera.

atezado: con la piel tostada y obscurecida por el sol y el aire.

azófar (el): latón amarillento.

barbulla (la): alboroto y confusión producida por un conjunto de personas que hablan al mismo tiempo.

barrancada (la): barranco. Tal vez en esta derivación femenina, el autor ha querido dar una sensación de amplitud, en ese caso sería 'un amplio y alargado barranco'.

bataneados: de *batanear*, batir o sacudir el paño con el *batán*, que era una máquina compuesta de gruesos mazos de madera, para desengrasar los tejidos.

batea (la): bandeja.

bausán (el): tonto. En 1627, Correas decía que bausán era "el que se quedaba pasmado, mirando, la boca abierta".

bergantín (el): barco de dos palos y vela cuadrada o redonda.

borbollones (los): erupción que hace el agua de abajo a arriba, elevándose sobre la superficie. En el texto aparece como una impresión sorprendente de color: "...de los jardines públicos se escapan borbollones de lozano verdor".

bostonesa (la): prenda femenina, tal vez una especie de chaleco o corpiño. Véase nota 16.

brial (el): vestido femenino que se ceñía y ataba por la cintura y cubría hasta los pies; de telas muy ricas, era propio de damas nobles.

buriel: paño muy basto y de ínfima calidad, de color obscuro, entre negro y leonado. Ya en el siglo XVIII el paño buriel lo usaban únicamente las personas muy pobres, en especial labradores y pastores; también se hacían de paño buriel los trajes y hábitos penitenciales.

burujos (los): bulto o pella que se forma en varias partes de una cosa, aglomerándose. En *Doña Inés* se utiliza para dar una sensación visual, casi pictórica. Cf. *aspersión* y *borbollones*. Las tres palabras aparecen en el capítulo IX.

cabo (el): en su acepción 1.ª, 'cualquiera de los extremos de una cosa'.

cachicuerna: con las *cachas*, mango del cuchillo o navaja, de cuerno.

cadillos (los): hay dos clases de cadillos. El primero, es una planta de tallo áspero y estriado, que crece hasta unos treinta centímetros de altura; tiene flores de color rojo y fruto elipsoidal de un centímetro de largo, erizado de espinas tiesas. El otro *cadillo* que hay en toda Europa es una planta de sesenta centímetros de altura, de hojas ásperas y vellosas, y flores de color amarillento. con frutos aovados cubiertos de espinas ganchudas. Quizá sea esta última planta a la que se refiere Azorín.

caléndula (la): planta silvestre que también se cultiva en los jardines; no muy alta, con hojas enteras apenas dentadas; abundantes flores en forma de margarita, de color naranja vivo. ¿Su nombre derivado de *kalendas* porque florece todos los meses? Nótese que Azorín la describe con "botón y pétalos amarillos". Otros nombres comunes para esta planta son: *maravilla, flor de muerto* y *flamenquilla.* (Nombre científico: *caléndula arvensis.*)

camino de herradura: "Se llama al que guía más brevemente a los lugares, y que sólo pueden caminar por él caballerías, por no ser a propósito para coches ni carros" (*Dicc. Aut.*).

canapé (el): banco o escaño con el asiento y el respaldo acolchados.

cantaleta (la): canción con que se hacía mofa de una o varias personas.

cantueso (el): planta de hoja perenne, de cinco a seis centímetros de altura, con tallos derechos y ramosos, hojas oblongas, estrechas y vellosas; flores olorosas y moradas en espiga que remata en penacho. (Familia, labiadas.)

capirote (el): tocado en forma de cono muy alargado, usado por las damas en la Edad Media.

capuchina (la): lamparita de metal en forma ovalada o redonda para contener el aceite de que se alimentaban; estaban rematadas por una bolita de metal por donde salía la mecha de algodón que se prendía para dar luz.

cárcola (la): pedal del telar.

cardada: de *cardar,* sacar el pelo de la lana con la *carda.*

carmenada: de carmenar, desenredar y limpiar la lana.

carretón (el): polea para subir y bajar las lámparas de las iglesias.

carruchas (las): especie de pequeñas poleas fijas de madera. a modo de dos botones cosidos juntos por la cara convexa y formando una sola pieza; situadas al extremo de los tirantes del pantalón, se hacía deslizar una pequeña cinta de goma por la garganta de las carruchas, sujetando los extremos de la cinta a la cintura del mismo pantalón.

casar (el): agrupación de casas en el campo, bastante más pequeña que una aldea.

caudatario (el): del latín *cauda,* 'cola'; eclesiástico doméstico de un obispo que le lleva la cola de la amplia falda, o los extremos de la capa consistorial en las funciones públicas y solemnes del culto.

cedazo (el): está compuesto de dos aros de madera unidos; cada uno de los aros está cubierto de una telilla muy fina, semejante a la gasa. En los cedazos se echa la harina llegada directamente del molino; se mueven de atrás para delante, con una sola mano, y cae a la artesa la harina limpia, quedando en el cedazo el *salvado* [cáscara del grano].

celemín (el): medida de capacidad para áridos equivalente a 4'625 litros; también es antigua medida agraria de Castilla, equivalente a 537 m^2.

cenceña: delgada y esbelta.

cerro (el): cuello o pescuezo de un animal.

cetonio (el): insecto coleóptero con reflejos dorados en su caparazón.

ciernen: de *cerner,* se mueven de uno a otro lado, como quien cierne.

cimborrio (el): conjunto de cúpula y sus accesorios o cubiertas; suele llevar montada una parte cilíndrica con aberturas, denominada *linterna.*

clemátide (la): planta trepadora de hojas opuestas, flores blancas y olorosas. (Familia, ranunculáceas. Nombre científico: *clematis vitalba*).

clistel (el): irrigador para lavativas.

cobijos (los): es la derivación popular del latín *cubiculum,* 'aposento', 'alcoba'; la derivación culta, *cubículo,* se usa hoy generalmente con cierto sentido peyorativo: "No sale de su cubículo", se dice de alguien que es huraño y poco sociable; en este sentido creo que ha usado la frase Azorín. *Cobijo* se emplea hoy para indicar 'protección', 'amparo', y no parece éste el sentido de la frase azoriniana.

cogujada (la): avecilla parecida al gorrión, con un copetillo o penacho de plumas en la cabeza; en la primavera el macho canta muy suavemente.

combada, comba (la): curvada y curva.

comedio (el): centro o mitad de algo.

condesijo (el): 'escondite', 'escondrijo'. Se menciona por vez primera en la *Crónica General* de Alfonso X el Sabio (edición Menéndez Pidal, p. 68). Juan de Valdés en su *Diálogo de la lengua,* dice: "mejor vocablo es guardar que condesar".

copia: en la significación latina de 'abundancia'; "copia de paños", es decir, 'abundancia de paños'.

coquinario: del latín *coquinarius,* de *coquina,* 'cocina'; *culinario,* se dice generalmente.

cornucopia (la): espejo de marco tallado y dorado que lleva en su parte inferior uno o varios brazos para colocar velas de cera blanca cuya luz reverbera en el espejo.

costanilla (la): calle en cuesta, menos principal que la calle con pendiente o desnivel pronunciado.

crencha (la): raya que separa el cabello en dos partes.

cuartal (el): cierta clase de pan, que regularmente tiene la cuarta parte de una *hogaza,* o de otro pan.

cuelga (la): conjunto de frutos y productos colgados de vigas y techos, para su mejor conservación [frutas, jamones, chorizos, etc.].

cujón (el): también *cogujón.* Cualquiera de las puntas que forman los colchones, almohadas, serones y alforjas. Azorín parece significar con ese nombre la parte interior de esas puntas.

cúmulo (el): nube que tiene aspecto de montaña de nieve con bordes brillantes.

chaparro (el): mata de encina de poca altura, poblada de muchas ramas.

chapín (el): antiguamente calzado con suela de corcho, forrado de cordobán. En el siglo XVII llegaron a tener hasta doce tapas de corcho.

chichisveo (el): hombre que galantea y obsequia asiduamente a una dama. Véase nota 40.

chirle: vano, aparente, sin sustancia.

chistera (la): 'sombrero masculino de copa muy alta'. Su nombre viene del vasco *xistera* y éste del latín *cistela.* Comienza a usarse a principios del siglo XIX, aunque sólo a partir de 1840 a 1845 adquiere la forma que más recuerda el sombrero que hoy llamamos *chistera* o *sombrero de copa,* usado exclusivamente para acompañar el frac o el chaqué, trajes de gala o ceremonia.

chorreones (los): hilos de agua que forman las gotas al caer sobre una superficie. La palabra no consta en el *Dicc.* de la R.A.E.

daguerrotipo (el): imagen fotográfica obtenida por daguerrotipia (de Daguerre, su inventor). La obtención de fotografía por *daguerrotipo* requería una placa de cobre plateada y pulimentada, la cual era sometida a la acción de vapores de yodo que tenían por efecto formar en su superficie yoduro de plata, substancia sensible a la luz. Después de haber impresionado esta placa durante un tiempo muy largo en la cámara obscura, se trataba con vapores de mercurio y se fijaba con hiposulfito de sodio. El daguerrotipo así obtenido era un positivo del cual no se podían sacar copias; la fotografía hizo posible, más tarde, la obtención de multitud de copias sacadas de un solo negativo.

decurso (el): 'transcurso', 'sucesión' o 'continuación del tiempo'.

desriscándose: precipitándose sobre un risco o peña.

desmochado: cortada, arrancada o desgajada su parte superior.

dintel (el): parte superior de las puertas y ventanas. *Umbral,* es la parte inferior, contrapuesta al dintel.

diuturnidad (la): espacio dilatado de tiempo y de larga duración.

ejido (el): campo a las afueras de un pueblo, común a todo el vecindario.

enalbado: casi blanco, como se pone el hierro sometido a fuertes temperaturas en la fragua.

enarcar: arquear. El verbo lo popularizó Valle-Inclán en los medios intelectuales y artísticos de Madrid, con su famoso "Apostillón" a la *Farsa y licencia de la reina castiza* (1922): "Mi musa moderna / enarca la pierna, / se cimbra, se ondula, / se comba, se achula / con el ringorrango / rítmico del tango / y recoge la falda detrás".

encentó: de *encentar,* pillar, aplastar u oprimir entre dos cosas: "la puerta me encentó el dedo", se oye aún por Castilla. Valdés dice en el *Diálogo de la lengua*: "más me contenta decir... *partir* que *encentar*". Cualesquiera de las definiciones aquí dadas puede ser válida para la frase que aparece en el texto.

encima (se): de *encimarse* o *encimar*, elevarse una cosa a mayor altura que otra.

enebro (el): árbol no muy alto, de follaje perenne con hojas en forma de agujas menudas y punzantes; tiene frutos del tamaño de guisantes, verde-grisáceos al principio y luego, violáceos. (Familia cupresáceas. Nombre científico, *juniperus communis*).

escarpadura (la): declive áspero de un terreno.

escarpidor (el): peine con las púas largas y ralas.

escurado: de *escurar*, limpiar los paños antes de abatanarlos. Véase *bataneados*.

espetera (la): tabla de la que se cuelga en la cocina la batería de metal, como cazos, cucharones, etc.

esquinazo (el): esquina de un edificio. Hoy se usa exclusivamente *esquina*; *esquinazo* se emplea en la frase "dar esquinazo" (evitar el encuentro con alguien); también para indicar 'golpe contra la esquina de un edificio o de un mueble'.

estearina (la): substancia blanca, insípida y de escaso olor, fusible sólo a 64° C; da consistencia a los cuerpos grasos; sirve para la fabricación de velas.

estado: medida de longitud equivalente a siete pies, aproximadamente 1'944 m. Casi todos los diccionarios aseguran que es equivalente a la altura de un hombre...

estofa (la): tejido bordado generalmente de seda.

estrella miguera: el lucero de la mañana, llamado así por los pastores porque hacen las migas cuando asoma en el horizonte. Las *migas* son un guiso a manera de sopa espesa hecha con migas de pan.

estridor (el): sonido agudo y desagradable.

faetón (el): carruaje alto y descubierto, de cuatro ruedas, con dos asientos paralelos para cuatro personas.

familiar (el): eclesiástico dependiente y comensal de un obispo.

fautor (el): el que ayuda o favorece a otro o algo. Se usa generalmente en sentido peyorativo.

feriarse: comprarse algo, pero como un regalo u obsequio que se hace uno a sí mismo.

festejar: galantear, cortejar. En Aragón, Valencia y Cataluña, 'ser novio/a de alguien'.

festinación (la): celeridad, prisa, rapidez.

fragata (la): buque de tres palos con vergas (palos puestos horizontalmente en un mástil y que sirven para sostener las velas) en todos ellos.

galera (la): carro de cuatro ruedas, para transportar personas, al que se ponía ordinariamente un toldo de lienzo, a modo de cubierta, que preservaba a los viajeros de las inclemencias del tiempo.

gavillar: hacer las *gavillas,* que son los manojos o hatillos de espigas que se hacen al recoger la siega, atándolas con esparto o retama.

goleta (la): barco velero de dos o tres palos, ligero y de bordas poco elevadas.

góndola (la): coche para muchos viajeros cuya forma recordaba de algún modo las típicas barcas venecianas.

gordolobo (el): planta muy común con hojas anchas, casi todas en la base, con una espiga alta de flores amarillas. En la farmacopea popular se utiliza para las afecciones crónicas del aparato respiratorio. Las hojas se empleaban para mechas de candil, de ahí, tal vez, su otro nombre común de *verbasca candelera.* (Familia escrofularíneas. Nombre científico, *verbascum thapsus.*)

granzones (los): paja buena del trigo.

guedeja (la): melena larga. Hoy es palabra en desuso y muy literaria; un escritor la eludirá por considerarla muy afectada, excepto como término evocativo de ambiente o de época, o con propósito de ridiculizar, refiriéndola a un ambiente contemporáneo.

harnero (el): aro de madera recubierto de cuero agujereado que sirve para cerner la paja de trigo que comen los animales. Se mueve, con las dos manos, de derecha a izquierda y viceversa, y caen por los agujeros la tierra y los *tascones,* o nudos de la paja. La definición dada contradice la descripción que del harnero hace Azorín en el capítulo XLVII de *Doña Inés*; campesinos de las provincias de Segovia y Toledo nos han asegurado que es la *criba* y no el *harnero* el utensilio que se emplea para cerner toda clase de cereales (trigo, cebada, centeno, avena y algarrobas); el harnero se usa únicamente para la paja, como se ha dicho.

hatero (el): el que está destinado para llevar al provisión de víveres a los pastores.

helgados: se aplica a los dientes desiguales y ralos.

Hesperus: el planeta Venus cuando aparece en el occidente por la tarde.

hinojo (el): planta de largos tallos verdes, que al ser mordidos saben a anís; tiene hojas divididas, flores menudas, amarillas y reunidas formando umbelas. (Familia umbelíferas. Nombre científico, *foeniculum vulgare.*)

hogaza (la): pan grande de dos libras, hecho con salvado o harina mal cernida. Su nombre, derivado del latín *focacia,* indica que se cocía bajo la ceniza del hogar.

hortales (los): huertos; tal vez, 'conjunto de huertos colindantes'.

huelgo (el): aliento, respiración; en el texto, 'aire'.

ijada (dolor de): se padece en las cavidades situadas entre las falsas costillas y las caderas.

imposta (la): sillar algo saliente sobre el que se alza el hueco de una ventana; también la faja que corre horizontalmente y saliente bajo el hueco de la ventana.

indiana (tela de): tela de lino o de algodón, o mezcla de uno y otro, estampada por un solo lado.

informidad (la): calidad de informe, vago, inconcreto o indeterminado.

infrangible: inquebrantable; de *infringir,* quebrantar.

jabardeando: de jabardo, enjambre pequeño que produce la colmena. Nótese que Azorín se refiere a las manos ocupadas en el arte textoria y que antes las ha llamado "inmenso y afanoso enjambre".

joyante: fina y lustrosa.

juarda (la): "Suciedad que sacan el paño y la tela de seda por no haberles quitado bien la grasa que tenían al tiempo de su fabricación" (*Dicc. R.A.E.*).

labruscas (vides): la variedad silvestre de la *vitis virifera,* o vid.

lactescente: lechoso, de color blanco o blanquecino; más que calificar una superficie, denomina una masa o un gas.

lanificio (el): lugar o taller donde se teje. La acepción no está registrada en el *Dicc.* de la R.A.E. que da solamente estas dos: "Arte de labrar la lana. 2. Obra hecha de lana".

lavaderos (los): casa destinada al lavado de la ropa en las orillas de un río, con terrenos para tendederos. Cada lavandera disponía de una *banca,* especie de cajón que servía para preservarse de la humedad, con una tabla ondulada delante, sujeta con estacas clavadas en la arena, que servía para lavar restregando la ropa sobre la madera.

lavazas (las): agua mezclada con las impurezas y suciedad de lo que se lavó en ella.

lanzadera (la): instrumento en figura de barquichuelo, con una canilla dentro, que usan los tejedores para tramar. La *trama* es el conjunto de hilos cruzados con los de la *urdimbre,* que forman una tela; *urdimbre* es el conjunto de hilos paralelos entre los que pasa la trama.

lañador (el): el que compone objetos rotos, de barro o loza, por medio de grapas o *lañas.*

ledo: contento, alegre.

lentisco (el): arbusto de hojas compuestas, persistentes en invierno; con flores verdosas y pequeños frutos casi secos, de color rojo que luego se vuelven negros. (Familia terebintáceas. Nombre científico, *pistacea lentiscus*).

limeta (la): vasija semejante a una botella de vientre ancho y cuello largo.

limiste (paño): paño segoviano muy fino. Su nombre procede del francés *limestre,* derivado del inglés *Lemster,* nombre de la ciudad donde se fabricaba cierto tejido muy semejante al segoviano.

linfas (las): aguas.

litografía (la): imagen impresa por medio del arte litográfico. La reproducción se hacía dibujando sobre una piedra caliza con un lápiz graso. El procedimiento fue descubierto en 1796 por Senefelder.

maja (la): mujer de los barrios obreros y artesanos de Madrid, en los siglos XVIII y XIX. No parece haberse encontrado, hasta ahora, una etimología convincente que explique el origen de la palabra.

majadero (el): mano del mortero.

mascarón (el): cara disforme o fantástica hecha de madera o piedra que se usa como adorno en obras arquitectónicas. En el texto es un relieve que aparece debajo del pequeño asiento llamado *misericordia,* en el coro de la catedral.

matricaria (la): planta de hojas finamente recortadas, con flores en forma de pequeñas margaritas, de pétalos blancos y centro amarillo. Azorín puede referirse a la especie conocida con el nombre vulgar de *manzanilla* o *camomila.* Hay otras especies: matricaria marítima, matricaria discoidea, etc.

mechinal (el): agujero que se deja en la pared para introducir el extremo de un madero; generalmente se utiliza para afianzar los andamios que se usan durante la construcción de un edificio.

mensajería (la): carruaje público en servicio periódico, para viajeros y mercancías de pequeño volumen; tenía paradas y destinos fijos.

merinas (ovejas): raza de ovejas que dan lana muy fina y rizada; el tejido fabricado con lana merina solía ser generalmente de color negro.

miriñaque (el): el tejido filipino llamado *medriñaque,* hecho con fibras de abacá, se utilizó en España para la confección de enaguas bastante rígidas y tiesas, y también para forrar vestidos. Hacia 1840, se impuso la moda del *miriñaque* que era una especie de saya o enagua de medriñaque, o de otro tejido basto, dotada de aros metálicos, los tres primeros abiertos, y colocada de forma que la parte más saliente fuera por detrás. En Francia se llamaron *crenoline* tanto el tejido como la enagua; ésta se empezó a usar al comienzo del reinado de Luis Felipe. En el Segundo Imperio, la emperatriz Eugenia de Montijo volvió a poner de moda las "crinolines".

misericordia (la): pieza pequeña de madera situada debajo de los asientos abatibles de los coros catedralicios; sirve para que los canónigos, sobre todo los más ancianos, puedan descansar disimuladamente estando medio sentados sobre la *misericordia,* cuando el rezo en el coro impone que permanezcan en pie.

morcón (el): morcilla del intestino ciego del animal.

mortal: "mortal ha quedado Doña Inés", es decir 'profundamente conturbada", 'sintiéndose morir'.

mosqueta (la): rosal de tallos flexibles, muy espinosos.

muela (la): cerro escarpado, alto y con cima plana.

napoleones: moneda francesa de plata de 5 francos, que tuvo curso en España con el valor de 19 reales. Se llamaron así por el busto de Napoleón que llevaban.

naterón (el): requesón; cuajada de los residuos de hacer el queso. Véase nota 38.

nema (la): véase nota 6.

obrizo (oro): el muy puro, acendrado y subido de quilates.
odoran: de *odorar*, 'desprenden buen olor'.

pámpanos (los): sarmientos tiernos de la vid.
pandeada: curvada. *Pandear* es torcerse una cosa, encorvándose especialmente en el medio. Se dice de las paredes viejas, de las vigas de un techo o de una construcción.
pario (mármol): procedente de la isla griega de Paros, famosa por sus mármoles blancos.
peltre (el): aleación de cinc, plomo y estaño.
perspectiva caballera: es un modo convencional de representar objetos en un plano dando la impresión de que son vistos desde lo alto, conservando en la proporción debida sus formas y las distancias que los separan. El famoso plano de Madrid, debido a Texeira, está realizado en perspectiva caballera.
pesquisición (la): búsqueda. No consta en el *Dicc.* de la R.A.E.
pianoforte (el): es abreviatura del italiano *piano-forte*. Debe el nombre a sus posibilidades de pasar de insensibles gradaciones de sonidos suaves (*piano*) a otros intensos (*forte*) y viceversa, por la sola acción de los dedos sobre el teclado. El pianoforte o piano se comienza a extender a principios del siglo XIX; para él se escribieron especialmente gran cantidad de piezas musicales, en el período romántico. Los más viejos pianos fueron construidos por Cristófori a comienzos del siglo XVIII.
piruja (la): mujer joven de costumbres libres y desenvueltas.
platabanda (la): camino entre los arriates de un jardín.
polacra (la): barco de dos o tres palos, sin cofas; la *cofa* es una plataforma pequeña en el cuello del mastelero; el *mastelero* es el palo menor sobre cada uno de los palos mayores.
pomo (el): vaso o frasco redondo para contener perfumes.
postigo (el): puerta chica, abierta en otra mayor.
poyata (la): vasar o anaquel que sirve para poner vasos y otras cosas.
proceridad (la): altura; de *prócer*, alto, eminente, elevado.
prona: inclinada, empinada.
pululan: de *pulular*, empezar a brotar y echar *renuevos* o *vástagos* un vegetal.
punzó: color rojo muy vivo.

quechemarín (el): barco pequeño de dos palos con velas al tercio.

randa (la): encaje labrado generalmente a mano, con aguja; es más grueso que el realizado con bolillos (palillos).

redoma (la): vasija de vidrio ancha en su fondo y que va angostándose hacia la boca.

rehilandera (la): llamada comúnmente 'molinillo de papel'. Consiste en una caña o palo a cuyo extremo va sujeta una rueda o estrella de papel que gira impulsada por el viento.

rejuela (la): braserillo portátil, de carbón o cisco, con rejilla en la tapa, para calentarse los pies. Lo usaban preferentemente las mujeres que hacían un trabajo sedentario; las niñas hasta casi los años treinta de nuestro siglo, los utilizaban en las escuelas, a falta de otra calefacción, sobre todo en los medios rurales.

renuevos (los): vástagos que echa el árbol después de podado o cortado.

remece: de *remecer,* mover reiteradamente una cosa de un lado a otro.

repulgo (el): dobladillo muy estrecho cosido en una tela.

resaltes (los): partes sobresalientes de algo.

retallos (los): brotes, retoños, de un vegetal.

retama (la): tiene muchas especies y géneros. La más común en España es una mata con muchas ramas largas y flexibles, de color ceniciento y flores amarillas. Tiene un sabor amargo, de ahí el dicho popular, "amarga como la retama".

rodapié (el): friso o zócalo de una pared.

rodrigadas (las): sujetas con rodrigones. El *rodrigón* es una vara, palo o caña —como en el texto— que se clava al pie de una planta y sirve para tener sujetos con ligaduras, sus tallos y ramas.

ropilla (la): prenda masculina que empezó a usarse en el reinado de Felipe IV. Tenía mangas con repliegues de tela junto a los hombros, que se llamaban *brahones,* de los cuales pendían otras mangas perdidas o sueltas; la prenda terminaba en una especie de faldilla que llegaba a las ingles.

róseos: 'de color rosa'; no se confunda con *rosáceo,* que significa 'de color parecido al de rosa'.

rosicler (el): el color rosado, claro y suave de la aurora.

rubescente: que tira a rojo.

rutilar: resplandecer, despedir rayos de luz.

salvilla (la): bandeja con una o varias encajaduras para asegurar las copas, tazas o vasos que se ponen sobre ella.

saragüetes (los): de *sarao,* fiesta o reunión de tarde o noche. El *saragüete* designa una reunión o fiesta casera, de más confianza y familiaridad que el sarao.

sequeral (el): terreno muy seco.

sobrados (los): pisos altos de una casa.

sobrehaz (la): apariencia.

tablaros (los): se deriva de *tabla* en su acepción de 'cuadro o plantel de tierra en que se siembran las verduras y hortalizas'.

tajuela (la): asiento rústico, sin respaldo y generalmente con solo tres pies o patas.

tamo (el): pelusilla que se cría por acumulación del polvo; se apelotona generalmente debajo de las camas y otros muebles.

tejuelo (el): cuadrito de piel, tela o papel, pegado al lomo de un libro para poner el rótulo con el título de la obra y el nombre de su autor.

textura (la): tejido. El *Dicc.* de la R.A.E., no registra esta acepción.

terrero (el): sitio abierto de una casa, o cualquiera otra construcción o edificio, desde el cual se puede explayar la vista.

titilan: de *titilar,* centellear con ligero temblor un cuerpo luminoso.

titiritaina (la): ruido confuso de flautas y otros instrumentos; por extensión, alboroto y bullicio alegres.

tochuras (las): tosquedades.

tontillo (el): faldellín con aros de ballena o de otra materia que usaban las mujeres para ahuecar las faldas.

tormo (el): Azorín da en el texto su completa definición: "peñasco aislado semejante a un mojón".

trepa (la): guarnición que se cose al borde de los vestidos.

trasañejos: referido a perniles, como en el texto, significa 'curados', puesto que al pasar un año es cuando están en su punto para ser comidos.

tripudios (los): danza o baile. No sabemos si se trata de un baile concreto o es nombre genérico que comprende cualquier clase de danza.
trulla (la): bulla y alboroto de gente.

umbrática: 'en sombra', sombría.

vástago (el): renuevo o ramo tierno de árbol o planta.
vedija (la): mechón de lana.
velón (el): lámpara de metal para aceite común, compuesta de un recipiente con varios picos por donde salen las mechas, y de un eje que puede subir y bajar y girar, terminado por arriba en una asa y por abajo en un pie, por lo general en forma de platillos. Los velones de Lucena fueron los más famosos de España.
veneras (las): insignia que traían pendiente del pecho los caballeros de las Órdenes Militares. Es posible que en su origen fueran los caballeros de Santiago quienes usaran como distintivo de su condición las conchas (*veneras,* de *veneri,* concha de Venus) que los peregrinos al Sepulcro del Apóstol llevaban en las capas y sombreros, y de ahí el nombre se extendió a cualquier insignia de las demás Órdenes Militares (Alcántara, Calatrava y Montesa).
verbenéan: de *verbenear,* multiplicarse, 'aumentar en número'.
verde (libro): en el que se inscribían noticias particulares y curiosas de países, personas y, en especial, linajes y familias, enjuiciando lo que tenían de bueno o de malo.
Véspero: el planeta Venus como lucero de la tarde.
viadera (la): pieza de madera en los telares antiguos que servía para colgar los *lizos,* que eran cada uno de los hilos en que los tejedores dividen el estambre para que pase entre ellos la *lanzadera* con la *trama.*
vihuela (la): instrumento de cuerda pulsada, de origen español; tiene una configuración que recuerda la guitarra.
virola (la): pieza generalmente de goma que encaja en el extremo inferior del bastón y que hace la marcha más segura.

zaguán (el): en la última edición del *Dicc.* de la R.A.E. (1970) se define como "Espacio cubierto situado dentro de una casa, que sirve de entrada a ella y está inmediato a la puerta de la calle". Añadiremos que este término se aplica hoy solamente a edificios antiguos, aunque por excepción se oye en pueblos y aldeas alternando con *portal* que es el nombre más común.

zaleas (las): piel de oveja o carnero curtida de modo que conserva la lana; se usan como alfombras y para tapizar asientos. También las gentes del campo hacen con ellas chalecos y chaquetas para los pastores.

zamarrones (los): aumentativo de *zamarra,* prenda de vestir en forma de chaleco, hecha de piel con pelo (*zaleas*). Hombres que visten esa prenda.

ÍNDICE DE LÁMINAS

Entre págs.

ESTE LIBRO
SE TERMINÓ DE IMPRIMIR
EL DÍA 18 DE DICIEMBRE DEL AÑO 1999